Brigitte Vandal

ma grammaire pour le primaire

toutes les règles expliquées simplement

D1546651

CAR ACT ÈRE

Conception de la couverture : Micho Design/illustrations
Conception graphique et mise en pages : Chantal St-Julien
Révision : Anik Charbonneau
Correction d'épreuves : Hélène Paraire et François Morin
Index : Diane Baril

Imprimé au Canada

ISBN : 978-2-89642-067-4

Dépôt légal – Bibliothèque et Archives nationales du Québec, 2008
© 2008 Éditions Caractère

Gouvernement du Québec – Programme de crédit d'impôt pour l'édition
de livres – Gestion SODEC

Nous reconnaissons l'aide financière du gouvernement du Canada par l'entremise
du Programme d'aide au développement de l'industrie de l'édition (PADIÉ) pour
nos activités d'édition.

Canadä

Visitez le site des Éditions Caractère
editionscaractere.com

TABLE DES MATIÈRES

MOT DE L'AUTEURE

Voici enfin les **principales règles de grammaire** présentées avec **simplicité** et **clarté** dans un ouvrage **facile à consulter**. Ne cherchez plus de midi à quatorze heures dans quelle section peut se trouver l'explication dont vous avez besoin. Non ! Consultez plutôt cette grammaire à la manière d'un dictionnaire. En effet, les notions grammaticales élémentaires favorisant la compréhension du français écrit sont ici classées alphabétiquement, expliquées succinctement et illustrées par de nombreux exemples.

Cet ouvrage, d'abord conçu à l'intention des élèves des deux derniers cycles du primaire, saura tout autant éclairer les parents de ces élèves que l'apprenant, qu'il soit adolescent ou adulte, en français de base.

Ma grammaire pour le primaire traite de ce qu'il est désormais convenu d'appeler « la nouvelle grammaire ». Ainsi, ceux et celles qui ont fait leur apprentissage du français écrit avant 1995 n'y trouveront pas de mots clés comme *nature*, *article défini* ou *adjectif qualificatif*, ceux-ci étant issus de la grammaire traditionnelle. Voici donc, à leur intention, un tableau des correspondances entre la terminologie de la nouvelle grammaire et celle de la grammaire traditionnelle.

Nouvelle grammaire	Grammaire traditionnelle
adjectif	adjectif qualificatif
attribut du sujet	attribut
classe (d'un mot)	nature (d'un mot)
complément de phrase	complément circonstanciel
complément direct du verbe	complément d'objet direct
complément du nom	apposition
complément du nom	épithète
complément du verbe	complément circonstanciel
complément indirect du verbe	complément d'objet indirect
déterminant défini	article défini
déterminant démonstratif	adjectif démonstratif
déterminant exclamatif	adjectif exclamatif
déterminant indéfini	adjectif indéfini
déterminant indéfini	article indéfini
déterminant interrogatif	adjectif interrogatif
déterminant numéral	adjectif numéral cardinal
déterminant possessif	adjectif possessif
nom composé	locution nominale
verbe attributif	verbe d'état

MOT À L'ENFANT

Voici un jeu-questionnaire qui te permettra de découvrir *Ma grammaire pour le primaire*.

Pour chacune des questions, encercle la bonne réponse.

Vérifie ensuite tes réponses en consultant le corrigé au bas de la page.

1. **Que trouve-t-on dans une grammaire?**
   a) La définition des mots de la langue française.
   b) Les règles à suivre pour parler et écrire correctement le français.
   c) Des recettes québécoises.

2. **Que remarques-tu dans la façon dont sont classées les règles et notions dans** *La grammaire du primaire*?
   a) Rien de particulier.
   b) Ça ressemble à toutes les grammaires que je connais.
   c) Génial! Tout est classé comme dans un dictionnaire: dans l'ordre alphabétique.

3. **À quelles questions trouveras-tu la réponse dans** *La grammaire du primaire*?
   a) Comment former le féminin des noms et adjectifs?
   b) Comment former le pluriel des noms et adjectifs?
   c) Comment accorder un verbe avec son sujet?
   d) Qu'est-ce qu'un homophone?
   e) Toutes ces questions et encore plus!

Corrigé: 1. b; 2. c; 3. e.

A

ACCENT

Signe que l'on place sur certaines voyelles. La langue française utilise trois accents : l'accent aigu ⌐´⌐, l'accent grave ⌐`⌐ et l'accent circonflexe ⌐^⌐.

ACCENT AIGU

Signe que l'on place sur la lettre *e* pour produire le son « é ». → **accent**

> *À l'Halloween, **é**vite les d**é**guisements trop fonc**é**s.*

ACCENT CIRCONFLEXE

Signe que l'on place sur la lettre *e* pour produire le son « è » ainsi que sur les lettres *a*, *i*, *o* et *u* de certains mots. → **accent**

> *J'aime les p**â**tisseries, jouer de la fl**û**te, glisser en tra**î**neau et me lever t**ô**t.*

ACCENT GRAVE

Signe que l'on place sur la lettre *e* pour produire le son « è » ainsi que sur les lettres *a* et *u* afin de différencier des homophones. → **accent**

> *O**ù** as-tu laissé ton po**è**me, **à** l'école ou chez ton amie ?*

ACCORDER

Accorder un mot avec un autre, c'est lui donner la forme (genre, nombre, personne) qui convient selon le mot avec lequel il s'accorde. Par exemple, le déterminant et l'adjectif reçoivent le genre et le nombre du nom qu'ils accompagnent.

ACCORD DANS LE GROUPE DU NOM

Dans le groupe du nom, c'est le nom qui est donneur d'accords.

✧ Le déterminant reçoit le genre et le nombre du nom qu'il accompagne.

un problème   **ce** géant   **son** bateau

Le déterminant qui accompagne un nom masculin singulier doit aussi être au masculin singulier.

des problèmes   **ces** géants   **ses** bateaux

Le déterminant qui accompagne un nom masculin pluriel doit aussi être au masculin pluriel.

une solution   **cette** géante   **sa** bicyclette

Le déterminant qui accompagne un nom féminin singulier doit aussi être au féminin singulier.

des solutions   **ces** géantes   **ses** bicyclettes

Le déterminant qui accompagne un nom féminin pluriel doit aussi être au féminin pluriel.

✧ L'adjectif* reçoit le genre et le nombre du nom qu'il accompagne.

un **petit** problème   ce géant **affamé**   son bateau **vert**

L'adjectif qui accompagne un nom masculin singulier doit aussi être au masculin singulier.

des **petits** problèmes   ces géants **affamés**   ses bateaux **verts**

Le déterminant qui accompagne un nom masculin pluriel doit aussi être au masculin pluriel.

*une solution **idéale*** *cette géante **affamée*** *sa bicyclette **verte***

L'adjectif qui accompagne un nom féminin singulier doit aussi être au féminin singulier.

*des solutions **idéales*** *ces géantes **affamées*** *ses bicyclettes **vertes***

L'adjectif qui accompagne un nom féminin pluriel doit aussi être au féminin pluriel.

* Incluant les participes passés employés seuls.

ACCORD DE L'ADJECTIF

L'adjectif reçoit généralement le genre et le nombre du nom qu'il accompagne. ➛ **accord dans le groupe du nom**

Il existe toutefois certaines particularités. En voici quelques-unes :

L'accord de l'adjectif avec plusieurs noms		
	Règles	Exemples
noms de même genre	L'adjectif se met au pluriel et reçoit le genre des noms qu'il accompagne.	Nom Nom Adjectif *une prune et une pomme mûr**es*** fém. sing. fém. sing. fém. plur. Nom Nom Adjectif *un mur et un plafond peint**s*** masc. sing. masc. sing. masc. plur.
noms de genres différents	L'adjectif se met au masculin pluriel.	Nom Nom Adjectif *une prune et un kiwi mûr**s*** fém. sing. masc. sing. masc. plur.
noms de genres et de nombres différents	L'adjectif se met au masculin pluriel.	Nom Nom Adjectif *des carottes et un chou biologique**s*** fém. plur. masc. sing. masc. plur.

L'accord des adjectifs de couleur		
	Règles	Exemples
adjectif de couleur simple (adjectif formé d'un seul mot)	L'adjectif de couleur simple reçoit le genre et le nombre du nom qu'il accompagne.	*une perle bleue* *des perles blanches* *un cahier vert* *des cahiers verts*
adjectif de couleur composé (adjectif formé de plusieurs mots)	L'adjectif de couleur composé est invariable.	*une assiette* **gris perle** *des tasses* **rose bonbon** *un chandail* **bleu marine** *des vases* **vert olive**
noms employés comme adjectifs de couleur	Le nom employé comme adjectif de couleur est invariable.	*une voiture* **argent** *des housses* **orange** *un renard* **caramel** *des yeux* **turquoise**

L'accord des adjectifs de couleur n'est pas simple. En cas de doute, consulte le dictionnaire.

ACCORD DE L'ATTRIBUT DU SUJET

L'attribut du sujet reçoit généralement le genre et le nombre du noyau de son groupe sujet. Voici les règles d'accord de l'attribut du sujet.

L'accord de l'attribut du sujet	
L'attribut du sujet est...	Règles
un adjectif*	L'attribut reçoit le genre et le nombre du noyau du groupe sujet. Groupe sujet Attribut du sujet *Les* **tartes** *au sucre* sont **succulentes**. fém. plur.

un adjectif*	Groupe sujet Attribut du sujet *Elles* sont *appétissantes*. fém. plur.
un groupe du nom	L'attribut reçoit généralement le genre et le nombre du noyau du groupe sujet. Groupe sujet Attribut du sujet *Marie* est *une grande actrice*. fém. sing. L'attribut ne s'accorde parfois pas. Groupe sujet Attribut du sujet *Le rhume* est *une maladie contagieuse*. masc. sing. fém. sing. Groupe sujet Attribut du sujet *Les mathématiques* sont *une science*. fém. plur. fém. sing.

* Incluant les participes passés employés seuls.

ACCORD DU DÉTERMINANT

Le déterminant reçoit le genre et le nombre du nom qu'il accompagne. → **accord dans le groupe du nom**

ACCORD DU PARTICIPE PASSÉ

✧ Le participe passé est un receveur: il reçoit le genre et le nombre de différents mots. Voici les règles d'accord du participe passé selon qu'il est employé seul, avec l'auxiliaire *être* ou avec l'auxiliaire *avoir*.

A

L'accord du participe passé	
Emplois	Règles
Seul	Le participe passé s'accorde comme un adjectif: il reçoit le genre et le nombre du nom qu'il accompagne. *Les grimpeurs épuis**és** se reposaient à l'ombre.* masc. plur.
Avec l'auxiliaire *être*	Le participe passé reçoit le genre et le nombre du sujet. Groupe sujet *Les fourmis étaient réjou**ies** par tant de travail accompli.* fém. plur.
Avec l'auxiliaire *avoir*	Le participe passé reçoit le genre et le nombre de son complément direct (CD) si celui-ci est placé avant le verbe. CD (avant le verbe) *Les pêches, je les ai cueill**ies** moi-même.* fém. plur. CD (après le verbe) *J'ai cueill**i** les pêches moi-même.*

✧ Voici les différentes terminaisons des participes passés.

Les terminaisons des participes passés						
		Verbes réguliers en -er	Verbes réguliers en -ir	Verbes irréguliers en -ir, -re, -oir		
SINGULIER	**masculin**	vid**é**	garant**i**	e**u**	mor**t**	mi**s**
	féminin	vid**ée**	garant**ie**	e**ue**	mor**te**	mi**ses**

A

PLURIEL	masculin	vid**és**	garant**is**	e**us**	mor**ts**	mi**s**
	féminin	vid**ées**	garant**ies**	e**ues**	mor**tes**	mi**ses**

→ **participe passé**

ACCORD DU VERBE

Le verbe reçoit la personne et le nombre de son groupe sujet ; c'est la règle générale. Voici des précisions sur l'accord du verbe selon les particularités de son groupe sujet :

L'accord du verbe selon les particularités de son sujet	
Le sujet est...	**Règles**
un groupe du nom	Le verbe reçoit la personne et le nombre du noyau du groupe du nom. Groupe du nom Verbe Les **femmes** se maquill**ent** depuis l'Antiquité. 3e pers. plur. (elles)
un pronom	Le verbe reçoit la personne et le nombre du pronom. Pronom Verbe **Nous** utilis**ons** le couteau depuis le Moyen Âge. 1re pers. plur.
plusieurs groupes du nom de la 3e personne	Le verbe reçoit la troisième personne du pluriel. Plusieurs GN de la 3e pers. Verbe **François**, sa **sœur** et leurs **parents** s'intéress**ent** à l'histoire. 3e pers. plur. (ils)
sous-entendu (verbe à l'impératif)	Le verbe reçoit la personne et le nombre du pronom sous-entendu. Verbe à l'impératif Prend**s** ton temps. 2e pers. sing. (le pronom sous-entendu est *tu*) Attention : La règle ne s'applique pas pour les verbes en -er.

aucun/ aucune, chacun/chacune, foule, équipe, groupe, personne, quelqu'un, rien, tout, tout le monde	Le verbe reçoit la troisième personne du singulier. Sujet　　Verbe ↓ **Chacun** *dira son nom à tour de rôle.* 3e pers. sing. Sujet　　　　Verbe ↓ *Tout le* **monde** *récitera un poème.* 　3e pers. sing
beaucoup, certains/ certaines, la plupart, plusieurs, quelques-uns quelques-unes	Le verbe reçoit la troisième personne du pluriel. Sujet　　Verbe ↓ *Parmi vous,* **certains** *voudraient un frère ou une sœur.* 　　3e pers. plur.

Le verbe est parfois éloigné de son sujet : un mot ou un groupe de mots peut se trouver entre le sujet et le verbe. On dit alors que le verbe est séparé de son sujet par un écran. Le verbe ne reçoit jamais l'accord de l'écran.

Sujet　Écran　　　Verbe
↓
Je 　　*vous* 　*donnerai ma réponse bientôt.*
1re pers. sing.

AJOUT

Manipulation syntaxique qui consiste à ajouter un mot ou un groupe de mots dans la phrase.

ADJECTIF

Mot variable qui se place généralement après le nom qu'il accompagne, parfois avant le nom. L'adjectif dit comment est la personne, l'animal, la chose ou la réalité désignée par le nom.

une fée **redoutable**	le **petit** voisin
des chiens **fous**	une **affreuse** couleuvre
un échantillon **gratuit**	un **gros** problème
le centre **commercial**	la **prochaine** fois
une colère **noire**	un **bon** café **chaud**

L'adjectif est un receveur : il reçoit le genre et le nombre du nom qu'il accompagne. → **accords dans le groupe du nom** ; **accord de l'adjectif** ; **formation du féminin des noms et adjectifs** ; → **formation du pluriel des noms et adjectifs**

*Le canard a des pieds **palmés** et un **long** bec.*
          masc. plur.   masc. sing.

ADJECTIF DE COULEUR

→ **accord de l'adjectif** ; → **adjectif**

ADVERBE

Mot invariable qui modifie le sens d'un adjectif (**très** intéressant), d'un verbe (lire **longtemps**) ou d'un autre adverbe (**très** longtemps). L'adverbe peut également modifier le sens d'une phrase.

Ex. : **Demain**, vous commencerez vos cours de karaté.

Les adverbes peuvent exprimer différents sens.
En voici quelques exemples.

Les principaux sens des adverbes		
Sens	Adverbes	Exemples
affirmation	oui, sûrement, vraiment	*Tu as **vraiment** eu peur.* *Je t'accompagnerai **sûrement**.*
doute	peut-être, probablement	*C'est **peut-être** une erreur.* *Elle a **probablement** ses raisons.*
intensité	assez, beaucoup, environ, peu, presque, très, trop	*Il a **beaucoup** neigé.* *Nous avons **très** froid.*
lieu	ailleurs, autour, dehors ici, là-bas, loin, partout	*Jouons **dehors**.* *N'allez pas trop **loin**.*
manière	bien, doucement, ensemble, lentement, vite	*Myriam mange **lentement**.* *Ils vivent **ensemble**.*
temps	aujourd'hui, bientôt, demain, hier, souvent, toujours	*Vous riez **souvent**.* *Tu iras **bientôt** en Égypte.*

Plusieurs adverbes se terminent par le suffixe –ment.

vraiment, facilement, grandement, rarement, infiniment, suffisamment, probablement, continuellement, etc.

ALLITÉRATION

Jeu de sonorités qui consiste à répéter la même consonne dans des mots rapprochés.

*****T**on **thé** **t**'a-**t**-il ô**té** **t**a **t**oux?*

ALPHABET

Ensemble des lettres d'une langue, qui servent à écrire. L'alphabet français compte 26 lettres : a, b, c, d, e, f, g, h, i, j, k, l, m, n, o, p, q, r, s, t, u, v, w, x, y, z. ➡ **consonne** ; ➡ **voyelle**

ANGLICISME

Mot emprunté à la langue anglaise. Voici des exemples d'anglicismes acceptés en français.

badminton	football	muffin	sketch
baseball	gang	rail	snob
camping	golf	sandwich	soccer
clown	hot-dog	scout	steak
cow-boy	jogging	short	tennis

Certains anglicismes sont incorrects et doivent être remplacés par des mots français. En voici quelques-uns parmi les plus courants.

Des anglicismes incorrects	
Anglicismes	À remplacer par
J'ai un **bicycle** neuf.	J'ai une **bicyclette** neuve.
Il a **breaké** à la dernière minute.	Il a **freiné** à la dernière minute.
Qui veut un **breuvage** ?	Qui veut une **boisson** ?
Le spectacle est **cancellé**.	Le spectacle est **annulé**.
Tu peux **chatter** avec d'autres joueurs.	Tu peux **clavarder** avec d'autres joueurs.
Check ça !	**Regarde** ça !
Le grille-pain est **connecté**.	Le grille-pain est **branché**.
Je **download** de la musique.	Je **télécharge** de la musique.
Ils lisent le **e-mail** de leur grand-père.	Ils lisent le **courriel** de leur grand-père.
Félix met du **gaz** dans sa voiture.	Félix met de l'**essence** dans sa voiture.
Ta **joke** est drôle !	Ta **blague** est drôle !
Je prendrais une **liqueur** avec mon maïs soufflé.	Je prendrais une **boisson gazeuse** avec mon maïs soufflé.

*As-tu un **opener**?*	*As-tu un **ouvre-boîte**?*
*Tristan préfère le **snowboard** au ski.*	*Tristan préfère la **planche à neige** au ski.*
*Ma sœur aime **surfer** sur Internet*	*Ma sœur aime **naviguer** sur Internet.*
*Les infirmières font beaucoup de **temps supplémentaire**.*	*Les infirmières font beaucoup d'**heures supplémentaires**.*
*Notre **toaster** est en acier inoxydable.*	*Notre **grille-pain** est en acier inoxydable.*
*Baisse le son de la **TV**.*	*Baisse le son de la **télé**.*
*Le **zipper** de mon pantalon est coincé.*	*La **fermeture éclair** de mon pantalon est coincée.*

ANTÉCÉDENT

Groupe du nom que remplace un pronom. → **pronom**

Les campeurs avaient faim. Ils ont préparé une soupe.
antécédent

ANTONYME

Mot dont le sens est contraire à celui d'un autre mot.

chaud/froid, belle/laide, marcher/courir, lentement/rapidement.

APOSTROPHE

On utilise l'apostrophe pour remplacer les voyelles *a*, *e* ou *i* à la fin de certains mots lorsque ceux-ci précèdent un mot commençant par une voyelle ou par un *h* muet. On fait alors une élision. Voici une liste des principaux mots qui s'élident.

Principaux mots qui s'élident	
ce	**C**'est un grand jour.
de	Il est invité à l'anniversaire **d**'Anaïs.
je	**J**'arrive dans quelques instants.
jusque	Nous étions trempés **jusqu**'à la taille.
la	**L**'automobile jaune est mal stationnée.
le	Rangez **l**'équipement dans le grand casier.
lorsque	Elle voudrait être soudeuse **lorsqu**'elle sera grande.
me	Vous **m**'étourdissez à parler tous ensemble.
ne	Nous **n**'irons pas au parc avec eux.
presque	Il n'y a que dans **presqu**'île que le mot presque s'élide.
puisque	**Puisqu**'il pleut, il n'y aura pas de récréation.
que	Tu voudrais **qu**'ils fassent la paix.
quelque	**Quelqu**'un chuchotait dans ton dos.
quoique	Elle refuse de se reposer **quoiqu**'on lui conseille de le faire.
se	Dany **s**'entend bien avec ton frère.
si (ne s'élide que devant il et ils)	Je ne sais pas **s**'ils comprendront.
te	**T**es amis **t**'ont fait toute une surprise !

Le mot *aujourd'hui* s'écrit toujours avec une apostrophe.

ARTICLE

→ **déterminant article**

ATTRIBUT DU SUJET

Mot ou groupe de mots qui qualifie le sujet. L'attribut du sujet fait partie d'un groupe du verbe dont le noyau est toujours un verbe attributif. Il s'agit généralement d'un groupe du nom ou d'un adjectif.

*Lilianne est **gracieuse**. Elle deviendra **une ballerine**.*

→ **accord de l'attribut du sujet**

Attention

Le mot ou groupe de mots qui qualifie un sujet n'évoque pas nécessairement une « qualité ». L'adjectif « laid », par exemple, peut être un attribut du sujet : Le local de danse est **laid**.

AUXILIAIRE

Les verbes *avoir* et *être* sont des auxiliaires : ils servent à former les temps composés des autres verbes.

*J'**ai** mangé, tu **auras** vu, elle **est** allée, nous **sommes** tombés, vous **aviez** prévenu, ils **ont** écouté.*

C

CD

Abréviation de complément direct.

CÉDILLE

Petit signe que l'on place sous la lettre *c* devant les lettres *a*, *o* et *u* pour produire le son « s ».

*Papa est dé**ç**u de cette balan**ç**oire neuve qui fait des bruits aga**ç**ants.*

Voici quelques mots courants comportant une cédille.

agaçant	ça	façon	glaçon
balançoire	déçu	français	leçon
berçante	façade	garçon	reçu

> Certains verbes exigent une cédille à certains moments de leur conjugaison, c'est-à-dire quand la lettre *c* de leur terminaison précède les lettres *a*, *o* et *u*.
>
> *je reçois, tu lançais, nous plaçons, etc.*

CI

Abréviation de complément indirect.

CLASSE DE MOTS

Chacune des catégories entre lesquelles les mots sont classés selon leurs ressemblances et leurs différences. La langue française compte huit classes de mots : les noms, les déterminants, les adjectifs, les pronoms, les verbes, les adverbes, les prépositions et les conjonctions.

COMPARAISON

Figure de style qui consiste à établir un rapprochement entre deux éléments.

Il est malin comme un singe.

COMPLÉMENT

Mot ou groupe de mots qui précise le sens d'un autre mot, d'un autre groupe de mots ou d'une phrase. → **complément de**

21

phrase ; complément du nom ; complément direct du verbe ; complément indirect du verbe

COMPLÉMENT DE PHRASE

→ **groupe complément de phrase**

COMPLÉMENT DIRECT DU VERBE

Mot ou groupe de mots généralement placé directement après le verbe. Le complément direct fait partie du groupe du verbe. Voici différents compléments directs.

Les compléments directs	
un groupe du nom	Doris _exige_ **_une explication_**.
les pronoms _le, la, l', les, en, cela_ ou _ça_	Je **_la_** _chanterai_ avec plaisir. Oui, il **_en_** _vend_. Tu aimes **_cela_**.
groupe de mots qui contient un verbe à l'infinitif	Elles _veulent_ **_dormir_**.

Attention

Un groupe du verbe dont le verbe conjugué est un verbe attributif ne contient jamais de complément direct, mais plutôt un attribut du sujet.

Ces garçons sont mes cousins.

COMPLÉMENT DU NOM

Dans un groupe du nom, tout mot ou groupe de mots qui précise le sens du nom est appelé «complément du nom». Voici différents compléments du nom.

Les compléments du nom	
Compléments	Exemples
un adjectif (ou participe passé employé seul)	la planète **inhabitée**
un nom	la planète **Saturne**
un groupe de mots commençant par une préposition	la planète **du Petit Prince**
un participe présent ou groupe de mots commençant par un participe présent	la planète **figurant sur la photo**
un groupe de mots commençant par un pronom relatif	la planète **dont je t'ai parlé**

COMPLÉMENT DU VERBE

Dans un groupe du verbe, le verbe non attributif est parfois accompagné d'un mot ou d'un groupe de mots qui le précise. Il existe deux sortes de compléments du verbe : le complément direct et le complément indirect. ➔ **attribut du sujet** ; **complément direct** ; **complément indirect**

Attention

Le mot ou groupe de mots qui accompagne un verbe attributif dans un groupe du verbe n'est pas un complément du verbe : c'est un attribut du sujet.

COMPLÉMENT INDIRECT DU VERBE

Mot ou groupe de mots commençant généralement par une préposition et placé après le verbe, sauf s'il s'agit d'un pronom. Le complément indirect fait partie du groupe du verbe.

Voici différents compléments indirects.

Les compléments indirects	
préposition + groupe du nom	Ahmed *écrit **à ses cousins***. Tu *crois **en mes talents***.
les pronoms *lui*, *leur*, *en* ou *y*	Ahmed ***leur** écrit*. Tu ***y** crois*.

CONDITIONNEL PRÉSENT ▬▬▬▬

Le conditionnel présent de l'indicatif est un temps simple du verbe.
→ **conjugaison**

CONJONCTION ▬▬▬▬

Mot invariable qui sert à lier des mots ou des phrases. Les conjonctions expriment la nature de la relation entre ces mots ou ces phrases, c'est pourquoi on les appelle «marqueurs de relation». Voici une liste des principales conjonctions et leur sens.

Les principales conjonctions		
Conjonctions	Sens	Exemples
comme	comparaison	Son pelage est doux **comme** du velours.
et	addition	Maman met du sucre **et** du lait dans son café.
mais	opposition	Il fait chaud, **mais** il vente fort.
ou	choix	Veux-tu de l'eau **ou** du jus ?
parce que	cause	Ils ont perdu leur match **parce que** le gardien était distrait.
si	condition	Je chanterai **si** tu m'accompagnes au piano.

Ensemble des formes que peut prendre un verbe. Ces formes varient selon le mode, le temps, la personne et le nombre auxquels un verbe est conjugué.

◇ **Le radical et la terminaison**

Un verbe est composé de deux parties : un radical au début et une terminaison à la fin. Généralement, le radical reste le même tout au long de la conjugaison. La terminaison change toutefois selon le mode, le temps, le nombre et la personne auxquels le verbe est conjugué.

je rêv/e, tu rêv/ais, il rêv/era, nous rêv/erions

◇ **Le mode du verbe**

Le mode exprime de quelle manière est utilisé le verbe. Voici les cinq différents modes du verbe.

Les cinq modes du verbe		
Modes	Emplois	Exemples
impératif	Pour exprimer un ordre, un conseil ou une demande.	*Sortez d'ici !* *Prends soin de toi.* *Ralentissons un peu.*
indicatif	Pour exprimer une action certaine ou probable.	*Je parle au téléphone.* indicatif présent *Il frappait à la porte.* indicatif imparfait *Vous avez eu peur.* indicatif passé composé *Nous irons peut-être au zoo demain.* indicatif futur simple *Ils seraient heureux de vous voir.* indicatif conditionnel présent *Elles firent trois vœux.* indicatif passé simple

infinitif	Pour nommer le verbe.	*Allons **danser**.* *__Rire__ est bon pour la santé.*
participe	Pour former les temps composés. Pour faire jouer au verbe le rôle d'un adjectif. Pour exprimer un fait qui a lieu en même temps qu'un autre.	*La pomme a **pourri** sous cette chaleur.* participe passé *Le fruit **pourri** est à la poubelle.* participe passé *En **pourrissant**, ce fruit a contaminé* participe présent *les autres.*
subjonctif	Pour formuler un souhait, une volonté, une obligation.	*Je souhaite **que** tu **gagnes** ton match.* *Elle voulait **que** j'**attache** mon soulier.* *Il faut **que** nous **partions**.*

✧ Le temps du verbe

Le temps du verbe exprime à quel moment se déroule l'action. Voici l'emploi des principaux temps de conjugaison à l'étude au primaire.

Les temps du verbe		
Temps	Emplois	Exemples
présent de l'indicatif	Pour exprimer une action qui se déroule en ce moment.	*Agathe **promène** son chien.*
futur simple de l'indicatif	Pour exprimer une action qui se déroulera plus tard.	*Agathe **promènera** son chien.*
imparfait de l'indicatif	Pour exprimer une action qui s'est déjà déroulée et a duré un certain temps.	*Agathe **promenait** son chien.*
conditionnel présent de l'indicatif	Pour exprimer une action qui pourrait se dérouler selon une ou des conditions.	*Agathe **promènerait** son chien s'il ne pleuvait pas.*

passé composé de l'indicatif	Pour exprimer une action qui s'est déjà déroulée à un moment précis.	Agathe **a promené** son chien.
passé simple de l'indicatif	Pour exprimer une action qui s'est déjà déroulée à un moment précis.	Agathe **promena** son chien.

✧ La personne du verbe

Le verbe reçoit la personne et le nombre de son groupe sujet. Il existe trois personnes pour chaque nombre.

Les personnes du verbe		
Personne et nombre	**Emplois**	**Exemples**
SINGULIER 1re personne	Pour désigner la personne qui parle.	**Je** chass**e** des papillons.
2e personne	Pour désigner la personne à qui l'on parle.	**Tu** capture**s** des insectes.
3e personne	Pour désigner la personne ou le groupe de personnes de qui l'on parle.	**Il** s'intéress**e** à la faune. **Elle** craint les araignées. **On** compt**e** des millions d'insectes sur Terre.
PLURIEL 1re personne	Pour désigner les personnes qui parlent.	**Nous** all**ons** à l'Insectarium.
2e personne	Pour désigner les personnes à qui l'on parle.	**Vous** viend**rez** nous rejoindre.
3e personne	Pour désigner les personnes de qui l'on parle.	**Ils** veul**ent** des explications. **Elles** racont**ent** leur aventure.

CONJUGAISON DES VERBES COURANTS

→ **à la fin de l'ouvrage pour la conjugaison des verbes courants.**

CONJUGUER

Conjuguer, c'est réciter ou écrire les formes de la conjugaison d'un verbe.

CONSONNE

L'alphabet français compte 20 consonnes, ce sont les lettres *b*, *c*, *d*, *f*, *g*, *h*, *j*, *k*, *l*, *m*, *n*, *p*, *q*, *r*, *s*, *t*, *v*, *w*, *x* et *z*. Les six autres lettres sont des voyelles.

CONSTITUANT FACULTATIF DE LA PHRASE

En plus de ses deux constituants obligatoires, le groupe sujet et le groupe du verbe, une phrase peut contenir un autre constituant appelé le « groupe complément de phrase ».

CONSTITUANT OBLIGATOIRE DE LA PHRASE

Les constituants obligatoires de la phrase, également appelés les « groupes obligatoires de la phrase », sont le groupe sujet et le groupe du verbe.

CONSTRUCTIONS DU GROUPE DU NOM

→ **groupe du nom**

CONSTRUCTIONS DU GROUPE SUJET

→ **groupe sujet**

CONSTRUCTIONS DU GROUPE DU VERBE ▬▬▬▬

→ **groupe du verbe**

COULEUR ▬▬▬▬▬▬▬▬▬

→ **accord de l'adjectif**

D

DÉPLACEMENT ▬▬▬▬▬▬▬

Manipulation syntaxique qui consiste à déplacer un mot ou un groupe de mots dans la phrase.

DÉTERMINANT ▬▬▬▬▬▬▬

Mot variable qui se place devant le nom qu'il accompagne.

> ***Un*** *étrange animal gambade dans **le** jardin.*

Le déterminant est un receveur : il reçoit le genre et le nombre du nom qu'il accompagne.

> *Je ne vois que **sa** queue et **ses** oreilles.*
> fém. sing.   fém. plur.

→ **accord dans le groupe du nom**

Voici une liste des principaux déterminants.

◇ **Les déterminants articles**

Le déterminant article introduit un nom. Lorsque l'on peut facilement identifier la personne, l'animal, la chose ou la réalité

D

désigné par le nom, on emploie *le, la, les* ou *l'*. Lorsque la personne, l'animal ou la chose désigné par le nom n'est pas facilement identifiable, on emploie *un, une* ou *des*.

Les déterminants articles			
SINGULIER	**masculin**	le, l', un	*le* serpent, *un* doute, *l'*étudiant
	féminin	la, l', une	*la* rue, *l'*étudiante, *une* invitation
PLURIEL	**masculin et féminin**	les, des	*des* wagons, *des* mâles
			les voitures, *des* femelles

◇ **Les déterminants contractés**

Le déterminant contracté est formé d'une préposition (*à* ou *de*) et d'un article (*le* ou *les*) réunis en un seul mot.

Les déterminants contractés			
SINGULIER	**masculin**	au (à + le)	Elle va *au* dépanneur.
	féminin	du (de + le)	Il revient *du* théâtre.
PLURIEL	**masculin et**	aux (à + les)	Elles s'adressent *aux* étudiants et aux étudiantes.
	féminin	des (de + les)	Ils doutent autant *des* garçons que *des* filles.

◇ **Les déterminants démonstratifs**

Le déterminant démonstratif s'emploie devant une personne, un animal, une chose ou une réalité que l'on veut montrer.

D

Déterminants démonstratifs			
SINGULIER	**masculin**	ce, cet	**ce** film, **cet** animal
	féminin	cette	**cette** auteure
PLURIEL	**masculin et féminin**	ces	**ces** vendeurs, **ces** tasses

◆ **Les déterminants possessifs**

Le déterminant possessif s'emploie pour indiquer qui possède l'animal, la chose ou la réalité désigné par le nom.

Les déterminants possessifs				
Personne	SINGULIER		PLURIEL	Exemples
	masculin	féminin	masculin et féminin	
1re personne (à moi)	mon	ma/mon	mes	**mon** appétit **ma** faim **mon** inquiétude **mes** frères et **mes** sœurs
2e personne (à toi)	ton	ta/ton	tes	**ton** pied **ta** tête **ton** oreille **tes** doigts **tes** bras et **tes** épaules
3e personne (à lui ou à elle)	son	sa/son	ses	**son** piano **sa** flûte **son** improvisation **ses** livres et **ses** notes

D

1re personne (à nous)	notre	notre	nos	**notre** oncle **notre** tante **nos** cousins et **nos** cousines
2e personne (à vous)	votre	votre	vos	**votre** casque **votre** bicyclette **vos** gants et **vos** lunettes
3e personne (à eux ou à elles)	leur	leur	leurs	**leur** ordinateur **leur** souris **leurs** logiciels et **leurs** télécom-mandes

✧ **Les déterminants numéraux**

Le déterminant numéral précise la quantité de personnes, d'animaux ou de choses que le nom désigne.

Les déterminants numéraux	
SINGULIER un, une	**un** calendrier **une** année
PLURIEL deux, trois, quatre… douze, treize, quatorze… vingt, trente, cent, mille, etc.	**trois** jours **quatorze** ans **cent** dollars

Seuls les déterminants numéraux *un*, *vingt* et *cent* sont variables. Tous les autres sont invariables.

◇ Les déterminants interrogatifs

Le déterminant interrogatif s'emploie devant un nom pour poser une question.

Les déterminants interrogatifs		
SINGULIER	quel, quelle	***Quel*** *crayon veux-tu?* ***Quelle*** *activité vous plairait?*
PLURIEL	quels, quelles	***Quels*** *invités viendront?* ***Quelles*** *chansons ont-ils interprétées?*
INVARIABLE	combien de, combien d'	***Combien de*** *frères a-t-il?* ***Combien d'****argent a-t-elle perdu?*

◇ Les déterminants exclamatifs

Le déterminant exclamatif s'emploie devant un nom pour exprimer une émotion.

Les déterminants exclamatifs		
SINGULIER	quel, quelle	***Quel*** *spectacle fantastique!* ***Quelle*** *bonne soupe!*
PLURIEL	quels, quelles	***Quels*** *secrets étonnants!* ***Quelles*** *révélations-chocs!*
INVARIABLE	que de, que d'	***Que de*** *temps perdu!* ***Que d'****amis tu as!*

D

✧ **Les autres déterminants**

Il existe plusieurs autres déterminants. En voici quelques exemples :

Certaines *personnes connaissent la vérité.*

Aucun *élève n'est allergique aux arachides.*

J'ai visité **différents** *musées.*

La police a interrogé **chaque** *témoin.*

Toute *vérité n'est pas bonne à dire.*

DÉTERMINANT ARTICLE

Mot variable qui sert à introduire un nom. Les déterminants articles sont *le, la, les, l', un, une* et *des.* → **déterminant**

DÉTERMINANT CONTRACTÉ

Le déterminant contracté est formé d'une préposition (*à* ou *de*) et d'un article (*le* ou *les*) réunis en un seul mot. → **déterminant**

DÉTERMINANT DÉFINI

Les déterminants définis sont les articles *le, la, l'* et *les.* → **déterminant**

DÉTERMINANT DÉMONSTRATIF

Le déterminant démonstratif s'emploie devant une personne, un animal, une chose ou une réalité que l'on veut montrer. → **déterminant**

DÉTERMINANT EXCLAMATIF

Le déterminant exclamatif s'emploie devant un nom pour exprimer une émotion. → **déterminant**

DÉTERMINANT INDÉFINI

Il existe plusieurs déterminants indéfinis, dont les déterminants articles *un*, *une* et *des*, ainsi que d'autres déterminants, comme *aucun*, *certain*, *plusieurs*, *quelques*, etc. → **déterminant**

DÉTERMINANT INTERROGATIF

Le déterminant interrogatif s'emploie devant un nom pour poser une question. → **déterminant**

DÉTERMINANT NUMÉRAL

Le déterminant numéral précise la quantité de personnes, d'animaux ou de choses que le nom désigne. → **déterminant**

DÉTERMINANT POSSESSIF

Le déterminant possessif s'emploie pour indiquer qui possède l'animal, la chose ou la réalité désigné par le nom.
→ **déterminant**

DEUX-POINTS

Signe de ponctuation dont on se sert pour introduire une énumération, une explication ou des paroles rapportées.

DIALOGUE

Échange de paroles entre des personnes ou des personnages.

Les marques du dialogue à l'écrit

LE TIRET

On met un tiret (–) devant chaque réplique pour indiquer qu'une autre personne ou un autre personnage s'exprime.

– Comment as-tu trouvé le spectacle de danse ?

– Je l'ai trouvé très divertissant.

LE DEUX-POINTS

On utilise le deux-points (:) pour introduire une réplique.

Christophe s'excuse auprès de ses amis:

– Je suis désolé, les copains, la chasse aux œufs est annulée car j'ai perdu mes clés.

LES GUILLEMETS

On utilise les guillemets pour encadrer des paroles rapportées.

Nathalie a crié: «Au secours! Il y a une souris dans mon lit!»

DONNEUR

Un mot est donneur lorsqu'il transmet son genre, son nombre ou sa personne à d'autres mots.

Le nom est un donneur, car il donne son genre et son nombre au déterminant et à l'adjectif qui l'accompagnent.

ÉCRAN

Mot ou groupe de mots placé entre le groupe sujet et le verbe.
→ **accord du verbe**

EFFACEMENT

Manipulation syntaxique qui consiste à supprimer un mot ou un groupe de mots.

ÉLISION

Remplacement d'une voyelle par une apostrophe.

> *l'éléphant :* une apostrophe remplace la voyelle *e*
>
> *j'écoute :* une apostrophe remplace la voyelle *e*
>
> *S'il pleut, on annule. :* une apostrophe remplace la voyelle *i*

ENCADREMENT

Manipulation syntaxique qui consiste à encadrer un mot ou un groupe de mots dans la phrase par *c'est… qui, ce sont… qui ou ne… pas.*

ÉNUMÉRATION

Liste d'éléments nommés un à un. → **signe de ponctuation** ; **virgule**

> *Le panier de fruits contient **des pommes**, **des bananes** et **des pêches**.*
>
> *Je serai en congé **lundi**, **mardi** et **mercredi**.*
>
> *Ajoute **du thym**, **du persil** ou **de la coriandre** dans ta soupe.*

EXPRESSION

Groupe de mots inséparables qui a un sens particulier, générale-ment figuré. Voici des exemples d'expressions courantes formées avec le mot *cœur.*

> ***Avoir le cœur gros**, c'est avoir du chagrin.*
>
> ***Avoir mal au cœur**, c'est avoir la nausée.*
>
> ***Avoir un cœur de pierre**, c'est être insensible.*
>
> ***Avoir du cœur au ventre**, c'est avoir du courage.*
>
> ***Faire contre mauvaise fortune bon cœur**, c'est tirer le côté positif d'une situation malheureuse.*

FAMILLE DE MOTS

Ce sont des mots formés à l'aide du même mot de base.

Bois, boisé, boisement, boiserie, pic-bois, sous-bois sont des mots de même famille dérivés du mot de base *bois*.

> Pour appartenir à une même famille, les mots doivent être liés par le sens. Par exemple, le mot **boisson** (liquide destiné à la consommation), même s'il commence comme **bois**, ne fait pas partie de la même famille que **boisé** (lieu couvert d'arbres).

FÉMININ

Un nom de genre féminin est un nom devant lequel on peut mettre le déterminant *une* ou *la*.

*une **assiette**, la **poivrière**.*

Un adjectif de genre féminin est un adjectif qui précise un nom féminin.

*une assiette **sale**, la poivrière **verte**.*

→ **formation du féminin des noms et adjectifs**

FIGURE DE STYLE

Façon particulière d'utiliser les mots pour produire certains effets.
→ **comparaison**; **inversion**; **métaphore**; **répétition**

FINALES DES VERBES

Les verbes conjugués à une même personne, qu'ils soient à l'indicatif présent, au passé composé, au futur simple, à l'imparfait, au conditionnel présent ou du subjonctif présent, ont généralement la même finale. Voici ces finales.

Les finales des verbes		
Personne du sujet du verbe	Finales	Exemples
1re personne du singulier (je)	-e -s -ai -x	*je joue, je place, que j'achète* *je suis, je meurs, je dirais, j'interdisais* *je ferai, j'écrirai, je dormirai, j'ai* *je peux, je veux, je vaux*
2e personne du singulier (tu)	-s -x	*tu penses, tu écrivais, tu dirais* *tu peux, tu veux, tu vaux*
3e personne du singulier (il, elle, on)	-e -a -d -t	*il envoie, qu'elle vienne, on frappe* *il gèlera, elle a, on dira* *il attend, elle prend, on prétend* *il étudiait, elle rougirait, on mangeait*
1re personne du pluriel (nous)	-ons	*nous vendons, nous aimions, nous finirions*
2e personne du pluriel (vous)	-ez	*vous souriez, vous grandirez, que vous sachiez*
3e personne du pluriel (ils, elles)	-nt	*ils attaquent, elles prendront, ils souriraient*

FONCTION

La fonction d'un groupe de mots, c'est le rôle que ce groupe de mots joue dans une phrase. Les principales fonctions sont groupe sujet, groupe du verbe (ou prédicat), complément direct du verbe, complément indirect du verbe, attribut du sujet et complément de phrase.

FORMATION DU FÉMININ DES NOMS ET ADJECTIFS

❖ De manière générale, pour mettre un nom ou un adjectif au féminin, on lui ajoute un *e*.

avocat/avocate	*idiot/idiote*	*joli/jolie*
nain/naine	*ouvert/ouverte*	*voisin/voisine*

❖ Certains noms et adjectifs suivent toutefois des règles particulières.

Formation du féminin des noms et adjectifs – Règles particulières		
Terminaisons masculin ➜ féminin	Exemples	Quelques exceptions
c ➜ que	*public/publique* *turc/turque*	*blanc/blanche* *chic/chic* *duc/duchesse* *franc/franche* *grec/grecque* *sec/sèche*
e ➜ e	*imbécile/imbécile* *ordinaire/ordinaire* *responsable/responsable*	*âne/ânesse* *maire/mairesse* *prince/princesse* *tigre/tigresse*
eau ➜ elle	*chameau/chamelle* *jumeau/jumelle* *nouveau/nouvelle*	
el ➜ elle	*artificiel/artificielle* *habituel/habituelle* *réel/réelle*	
en ➜ enne	*informaticien/informaticienne* *italien/italienne* *quotidien/quotidienne*	

er ➡ ère	droiti**er**/droiti**ère** fi**er**/fi**ère** passag**er**/passag**ère**	
et ➡ ette	n**et**/n**ette** mu**et**/mu**ette** viol**et**/viol**ette**	compl**et**/compl**ète** concr**et**/concr**ète** discr**et**/discr**ète** incompl**et**/incompl**ète** indiscr**et**/indiscr**ète** inqui**et**/inqui**ète** secr**et**/secr**ète**
eur ➡ eure *eur euse*	chauff**eur**/chauff**euse** meill**eur**/meill**eure** profess**eur**/profess**eure** vend**eur**/vend**euse**	veng**eur**/veng**eresse**
f ➡ ve	attenti**f**/attenti**ve** crainti**f**/crainti**ve** naï**f**/naï**ve**	bre**f**/brè**ve**
il ➡ ille	gent**il**/gent**ille** pare**il**/pare**ille** vie**il**/vie**ille**	
on ➡ onne	b**on**/b**onne** champi**on**/champi**onne** mign**on**/mign**onne**	compagn**on**/compagn**e** dém**on**/dém**one** dind**on**/dind**e**
teur ➡ teure	au**teur**/au**teure**	enchan**teur**/ enchan**teresse**
teur ➡ teuse	men**teur**/men**teuse**	servi**teur**/serv**ante**
teur ➡ trice	ama**teur**/ama**trice** lec**teur**/lec**trice** protec**teur**/protec**trice**	

x → se	*affreu**x**/affreu**se*** *chanceu**x**/chanceu**se*** *furieu**x**/furieu**se*** *jalou**x**/jalou**se***	*dou**x**/dou**ce*** *fau**x**/fau**sse*** *rou**x**/rou**sse*** *vieu**x**/vie**ille***

✧ Plusieurs noms et adjectifs masculins doublent leur consonne finale avant le *e* au féminin.

*ba**s**/ba**sse***	*cha**t**/cha**tte***	*épai**s**/épai**sse***
*gra**s**/gra**sse***	*gro**s**/gro**sse***	*la**s**/la**sse***
*nu**l**/nu**lle***	*paysa**n**/paysa**nne***	*so**t**/so**tte***

✧ D'autres noms et adjectifs masculins changent complètement de forme au féminin.

copain/copine	*héros/héroïne*	*neveu/nièce*
favori/favorite	*homme/femme*	*oncle/tante*
fou/folle	*long/longue*	*parrain/marraine*
frais/fraîche	*loup/louve*	*père/mère*
frère/sœur	*mâle/femelle*	*rigolo/rigolote*
garçon/fille	*malin/maligne*	*roi/reine*
gendre/bru	*monsieur/madame*	

✧ Plusieurs noms d'animaux diffèrent selon qu'il s'agit du mâle, de la femelle ou du petit. Ce tableau devrait t'éviter bien des « embêtements ».

Noms des animaux		
Mâle	Femelle	Petit
aigle	*aigle*	*aiglon, aiglonne*
âne	*ânesse*	*ânon*
bouc	*chèvre*	*chevreau, chevrette*
bœuf	*vache*	*veau*
buffle	*bufflonne*	*buffletin*

canard	cane	caneton
cerf	biche	faon
chameau	chamelle	chamelet, chamelon
chat, matou	chatte	chaton
cheval, étalon	jument	poulain, pouliche
chevreuil	chevrette	faon, chevrotin
chien	chienne	chiot
cochon, porc, verrat	truie	goret, porcelet
coq	poule	poussin
dindon	dinde	dindonneau
éléphant	éléphante	éléphanteau
jars	oie	oison
lapin	lapine	lapereau
lièvre	hase	levraut
lion	lionne	lionceau
loup	louve	louveteau
mouton, bélier	brebis	agneau, agnelle, agnelet
ours	ourse	ourson
paon	paonne	paonneau
pigeon	pigeonne	pigeonneau
rat	rate	raton
renard	renarde	renardeau
sanglier	laie	marcassin
singe	guenon	
souris mâle	souris femelle	souriceau
tigre	tigresse	

FORMATION DU PLURIEL DES NOMS ET ADJECTIFS

✧ De manière générale, pour mettre un nom ou un adjectif au pluriel, on lui ajoute un *s*.

africain/africain**s**   inconnu/inconnu**s**   jumelle/jumelle**s**

nouille/nouille**s**   olive/olive**s**   vivante/vivante**s**

✧ Certains noms et adjectifs suivent toutefois des règles particulières.

Formation du pluriel des noms et adjectifs – Règles particulières		
Terminaisons singulier → pluriel	Exemples	Quelques exceptions
al → aux	général/généraux hôpital/hôpitaux royal/royaux	bal/bals banal/banals carnaval/carnavals cérémonial/cérémonials chacal/chacals fatal/fatals festival/festivals glacial/glacials natal/natals naval/navals récital/récitals régal/régals
ail → ails	chandail/chandails détail/détails épouvantail/épouvantails	bail/baux corail/coraux émail/émaux travail/travaux vitrail/vitraux
au → aux	noyau/noyaux tuyau/tuyaux esquimau/esquimaux	landau/landaus sarrau/sarraus
eau → eaux	ciseau/ciseaux râteau/râteaux seau/seaux	
eu → eux	feu/feux lieu/lieux neveu/neveux	bleu/bleus pneu/pneus
ou → ous	clou/clous	bijou/bijoux

		kaill**ou**/caill**oux**
	kangour**ou**/kangour**ous**	ch**ou**/ch**oux**
	s**ou** /s**ous**	gen**ou**/gen**oux**
		hib**ou**/hib**oux**
		jouj**ou**/jouj**oux**
		p**ou**/p**oux**
s ➡ s	ba**s**/ba**s**	
	épai**s**/épai**s**	
	gro**s**/gro**s**	
x ➡ x	savoureu**x**/savoureu**x**	
	tou**x**/tou**x**	
	voi**x**/voi**x**	
z ➡ z	ga**z**/ga**z**	
	ne**z**/ne**z**	
	ri**z**/ri**z**	

✧ Certains noms au singulier changent complètement de forme au pluriel.

bonhomme/bonshommes   mademoiselle/mesdemoiselles

ciel/cieux   monsieur/messieurs

madame/mesdames   œil/yeux

 Attention

Certains adjectifs s'écrivent de deux façons différentes au pluriel.

final / finals ou finaux   glacial / glacials ou glaciaux
idéal / idéals ou idéaux

FORME NÉGATIVE ▬▬▬▬▬▬▬

→ **phrase négative**

FORME POSITIVE

→ **phrase positive**

FORME DE LA PHRASE

Une phrase peut être de forme positive ou de forme négative. La phrase négative contient des mots de négation comme *ne... pas, ne... jamais, ne... plus.* La phrase positive ne contient pas de mots de négation.

Phrases positives	Phrases négatives
Il joue seul.	*Il **ne** joue **pas** seul.*
Les jumeaux rangent leur chambre.	*Les jumeaux **ne** rangent **jamais** leur chambre.*
Tu as fait tous tes devoirs.	*Tu **n'**as fait **aucun** devoir.*

✧ Tous les types de phrases peuvent être de forme positive ou négative.

Type de phrase	Forme positive	Forme négative
déclarative	*Tu ronfles fort.*	*Tu **ne** ronfles **jamais** fort.*
interrogative	*Partez-vous en vacances?*	***Ne** partez-vous **plus** en vacances?*
exclamative	*Comme il fait beau!*	*Comme il **ne** fait **pas** beau!*
impérative	*Écrivez au tableau.*	***N'**écrivez **pas** au tableau.*

FUTUR SIMPLE

Le futur simple de l'indicatif est un temps simple du verbe.
→ **conjugaison**

G

GCP

Abréviation de groupe complément de phrase.

GENRE

En français, il y a deux genres : le féminin et le masculin.

> *Chienne* est un mot de genre féminin ; *chien* est un mot de genre masculin.

Voici des noms dont le genre est difficile à mémoriser.

Noms masculins

un accident	*un aéroport*	*un agenda*	*un ascenseur*
un autobus	*un autographe*	*un avion*	*un cerne*
un éclair	*un édifice*	*un escalier*	*un exemple*
un habit	*un hélicoptère*	*un hôpital*	*un incendie*
un instant	*un orage*	*un oreiller*	*un orteil*

Noms féminins

une agrafe	*une ambulance*	*une ancre*	*une annonce*
une apostrophe	*une armoire*	*une atmosphère*	*une autoroute*
une épice	*une épingle*	*une équerre*	*une étagère*
une hélice	*une horloge*	*une moustiquaire*	*une oasis*
une offre	*une omoplate*	*une oreille*	*une ouïe*

GN

Abréviation de groupe du nom.

G

GROUPE COMPLÉMENT DE PHRASE (GCP)

Mot ou groupe de mots qui complète le sens de la phrase en apportant une précision de but, de lieu, de temps, etc.

> *Je vais au parc **pour rencontrer mes amis**.* (but)
>
> ***Au parc**, les monitrices ont organisé des jeux.* (lieu)
>
> ***Cet après-midi**, j'irai au parc.* (temps)

❖ Le complément de phrase est mobile, c'est-à-dire qu'il peut être déplacé dans la phrase.

> ***Demain**, nous organisons une vente-débarras.*
>
> *Nous organisons une vente-débarras **demain**.*
>
> *Nous organisons, **demain**, une vente-débarras.*

❖ Le complément de phrase est facultatif, c'est-à-dire qu'il peut être effacé.

> *La tempête fait rage **depuis trois jours**.*
>
> *La tempête fait rage.*

❖ Une phrase peut contenir plus d'un complément de phrase.

> ***Afin d'arriver à l'heure**, vous avez couru **pendant de longues minutes**.*

Placé en début de phrase, le complément de phrase est suivi d'une virgule. Lorsqu'il est au milieu de la phrase, le complément de phrase est précédé et suivi d'une virgule.

***À son retour à la maison**, Marilou a appelé grand-papa.*

*Marilou, **à son retour à la maison**, a appelé grand-papa.*

GROUPE DU NOM (GN)

Groupe de mots formé d'au moins un nom (commun ou propre). Le nom est le noyau du groupe du nom. Le nom peut être seul ou accompagné d'autres mots. Voici une liste des principales constructions du groupe du nom.

Principales constructions du groupe du nom	
Constructions	**Exemples**
nom seul	Nous cherchons **Patricia**.
déterminant + nom	Gérard répare **mes skis**.
déterminant + nom + adjectif	**La planète bleue** est en danger.
déterminant + adjectif + nom	**Les vieux objets** demeurent les plus précieux.
déterminant + adjectif + nom + adjectif	Il te faut **une bonne soupe chaude**.
déterminant + nom + préposition + nom	**Ta sauce à spaghetti** est la meilleure.
déterminant + nom + GN	**Sa sœur Marianne** vit en banlieue.
autres constructions	Je n'oublierai jamais **le service que tu m'as rendu**.
	Ferme **la porte donnant sur le jardin**.

GROUPE DU VERBE (GV)

◇ Le groupe du verbe est l'un des deux constituants obligatoires de la phrase, avec le groupe sujet. Il indique ce que l'on dit à propos du groupe sujet.

Murielle   _attend ses petits-enfants._
Groupe sujet   Groupe du verbe

Que dit-on à propos de Murielle? On dit qu'elle attend ses petits-enfants.

✧ Le groupe du verbe contient toujours un verbe conjugué. Ce verbe conjugué est le noyau du groupe du verbe. Le verbe conjugué peut être seul ou accompagné d'un complément du verbe ou d'un attribut du sujet. Voici une liste des principales constructions du groupe du verbe.

Les principales constructions du groupe du verbe	
Constructions	Exemples
verbe seul	Victoria **court**.
verbe + adjectif*	Vous **devenez** turbulents.
verbe + groupe du nom	Il **subira** une opération.
verbe + préposition + groupe du nom	Juan **habitait** au Mexique.
verbe + groupe du nom + préposition + groupe du nom	Tu **écris** un courriel à ta correspondante.
pronom + verbe + groupe du nom	Il me **faut** un imperméable.
pronom + verbe + préposition + groupe du nom	Je vous **verrai** à l'aréna.
verbe + adverbe	Nathalie **lit** lentement.
verbe + verbe à l'infinitif	Jérôme **voudrait** téléphoner.

* Incluant les participes passés employés seuls.

Ce ne sont pas tous les verbes qui peuvent être utilisés seuls. Par exemple, les verbes *aller*, *avoir*, *être*, *faire*, *devenir*, *habiter*, *offrir*, *sembler* et *utiliser* doivent toujours être accompagnés.

G

GROUPE FACULTATIF DE LA PHRASE

→ **constituant facultatif de la phrase; complément de phrase**

GROUPE SUJET (GS)

◇ Le groupe sujet est l'un des deux constituants obligatoires de la phrase, avec le groupe du verbe. Il indique de qui ou de quoi on parle.

Patrick *apprend à faire de la planche à neige.*
Groupe sujet   Groupe du verbe

De qui parle-t-on? On parle de Patrick.

◇ Voici les principales constructions du groupe sujet.

Les principales constructions du groupe sujet	
Constructions	Exemples
un groupe du nom	*Les abeilles* bourdonnent autour des fleurs.
plusieurs groupes du nom	*La vache et son veau* broutent dans le champ.
un pronom	*Nous* adorons les animaux.

GROUPES OBLIGATOIRES DE LA PHRASE

→ **constituant obligatoire de la phrase**

GS

Abréviation de groupe sujet.

GV

Abréviation de groupe du verbe.

GUILLEMETS

Signe de ponctuation dont on se sert pour encadrer des paroles rapportées ou une citation.

« Je n'arrive pas à dormir », confiait Marc à sa grande sœur.

HOMOPHONE

Mot qui se prononce de la même façon qu'un autre mot, mais qui a un sens différent.

Son *frère et sa sœur* **sont** *jumeaux.*

Assis sous le plus haut **pin** *de la forêt, il dégustait une tranche de* **pain** *recouverte de confiture.*

Voici un tableau des principaux homophones. On y trouve des astuces qui aident à les distinguer.

Les principaux homophones			
Homophones	Classe des mots	Astuce	Exemples
a	verbe *avoir*	On peut le remplacer par *avait*.	Il **a** *souvent raison.* Il **avait** *souvent raison.*
à	préposition	On ne peut pas le remplacer par *avait*.	*Allons* **à** *l'épicerie.* X *Allons* **avait** *l'épicerie.*
ça	pronom démonstratif	On peut le remplacer par *cela*.	*Regarde bien* **ça**. *Regarde bien* **cela**.

sa	déterminant possessif	On peut le remplacer par *la*.	*Il cherche **sa** collation.* *Il cherche **la** collation.*
ce	déterminant démonstratif	On peut le remplacer par *e*.	*Connais-tu **ce** chien?* *Connais-tu **le** chien?*
	pronom démonstratif	On peut souvent le remplacer par *cela*.	***Ce** sera une belle sortie.* ***Cela** sera une belle sortie.*
se	pronom personnel	On ne peut pas le remplacer par *un* ou *cela*.	*Elle **se** sent prête.* X *Elle **un** sent prête.* X *Elle **cela** sent prête.*
ces	déterminant démonstratif	On peut ajouter *-là* après le nom.	***Ces** skis sont usés.* ***Ces** skis-**là** sont usés.*
ses	déterminant possessif	On peut ajouter *à lui* ou *à elle* après le nom.	*Il range **ses** gants.* *Il range **ses** gants **à lui**.*
c'est	déterminant démonstratif *c'* *(ce)* + verbe *être*	On peut le remplacer par *cela est*.	***C'est** haut.* ***Cela est** haut.*
s'est	pronom *s'* *(se)* + verbe *être*	On peut le remplacer par *s'était*.	*Elle **s'est** perdue.* *Elle **s'était** perdue.*
la	déterminant	On peut le remplacer par *une*.	*Je promène **la** chienne.* *Je promène **une** chienne.*
l'a	pronom *l'* *(le)* + verbe *avoir*	On peut le remplacer par *l'avait*.	*Le vent **l'a** emporté.* *Le vent **l'avait** emporté.*
là	adverbe	On peut le remplacer par *ici*.	*Votre pipe est **là**, grand-père.* *Votre pipe est **ici**, grand-père.*
leur	déterminant possessif	On peut le remplacer par *mon* ou *ma*.	***Leur** avion est en retard.* ***Mon** avion est en retard.*
	pronom personnel	On peut le remplacer par *lui*.	*Je veux **leur** parler.* *Je veux **lui** parler.*

H

leurs	déterminant possessif	On peut le remplacer par *mes*.	*Où sont **leurs** parents?* *Où sont **mes** parents?*
ma	déterminant possessif	On peut le remplacer par *une*.	***Ma** tête tourne.* ***Une** tête tourne.*
m'a	pronom *me* + verbe *avoir*	On peut le remplacer par *m'avait*.	*Il **m'a** salué.* *Il **m'avait** salué.*
mes	déterminant possessif	On peut le remplacer par *les*.	*Je porte **mes** sandales.* *Je porte **les** sandales.*
mais	conjonction	On ne peut pas le remplacer par *les*.	*Tu souris **mais** tu es triste.* *X Tu souris **les** tu es triste.*
mon	déterminant possessif	On peut le remplacer par *un* ou *une*.	*Veux-tu **mon** avis?* *Veux-tu **un** avis?*
m'ont	pronom *m' (me)* + verbe *avoir*	On peut le remplacer par *m'avaient*.	*Elles **m'ont** félicité.* *Elles **m'avaient** félicité.*
on	pronom (personnel)	On peut le remplacer par un prénom.	***On** veut s'amuser!* ***Julie** veut s'amuser!*
on n'	pronom *on* + mot de négation *n'(ne)*	On peut le remplacer par un prénom + *n'*.	***On n'**a pas terminé.* ***Félix n'**a pas terminé.*
ont	verbe *avoir*	On peut le remplacer par *avaient*.	*Mes cousins **ont** dansé.* *Mes cousins **avaient** dansé.*
ou	conjonction	On peut le remplacer par *ou bien*.	*Elle a six **ou** sept hamsters.* *Elle a six **ou bien** sept hamsters.*
où	adverbe ou pronom relatif	On ne peut pas le remplacer par *ou bien*.	***Où** êtes-vous donc?* *X **Ou bien** êtes-vous donc?*

			*Nous sommes là **où** tu nous as laissés.* *X Nous sommes là **ou bien** tu nous as laissés.*
son	déterminant possessif	On peut le remplacer par *un* ou *une*.	*J'ai **son** sac d'école.* *J'ai **un** sac d'école.*
sont	verbe *être*	On peut le remplacer par *étaient*.	*Les vents **sont** violents.* *Les vents **étaient** violents.*
ta	déterminant possessif	On peut le remplacer par *une*.	*N'oublie pas **ta** valise.* *N'oublie pas **une** valise.*
t'a	pronom *t' (te)* + verbe *avoir*	On peut le remplacer par *t'avait*.	*On **t'a** remis ton argent.* *On **t'avait** remis ton argent.*
ton	déterminant possessif	On peut le remplacer par *un* ou *une*.	*Mets **ton** manteau chaud.* *Mets **un** manteau chaud.*
t'ont	pronom *t' (te)* + verbe *avoir*	On peut le remplacer par *t'avaient*.	*Elles **t'ont** joué un tour.* *Elles **t'avaient** joué un tour.*

IMPARFAIT

L'imparfait de l'indicatif est un temps simple du verbe.
→ **conjugaison**

IMPÉRATIF

L'impératif est un mode du verbe. → **conjugaison**

INDICATIF

L'indicatif est un mode du verbe. → **conjugaison**

INFINITIF

L'infinitif est un mode du verbe. Il sert à nommer le verbe.
→ **conjugaison**

Dans le dictionnaire, les verbes sont écrits à l'infinitif.

INVARIABLE

→ **mot invariable**

INVERSION

Figure de style qui consiste à utiliser des mots dans un ordre inhabituel.

> **Trop lentement tournent les aiguilles de l'horloge.** *Vite! Vite!*
> *Mon ventre gargouille.*

M

MAJUSCULE

Lettre de plus grande dimension (A, B, C, D, E...) que la minuscule (a, b, c, d, e...).

MANIPULATION SYNTAXIQUE

Opération que l'on effectue sur des phrases ou des groupes de mots. Les principales manipulations syntaxiques sont l'effacement, le déplacement, le remplacement, l'ajout et l'encadrement.

✧ L'ajout

L'ajout consiste à ajouter un mot ou un groupe de mots dans la phrase. Voici certains de ses emplois.

L'ajout		
Quand l'utiliser?	Quoi ajouter?	Exemples
Pour enrichir une phrase.	Par exemple: un adverbe un ou des adjectifs un groupe du nom, etc.	*Mon cousin mange.* → *Mon cousin mange **lentement**.* → *Mon **jeune** cousin mange.* → *Mon cousin mange **des mets indiens**.*
Pour changer la forme ou le type d'une phrase.	un mot exclamatif un mot interrogatif ou une expression interrogative.	*Sélina rayonne de bonheur.* → ***Comme** Sélina rayonne de bonheur!* → ***Est-ce que** Sélina rayonne de bonheur?*

✧ L'effacement

L'effacement consiste à supprimer un mot ou un groupe de mots dans la phrase. Voici certains de ses emplois.

L'effacement		
Quand l'utiliser?	Quoi effacer?	Exemples
Pour trouver le complément de phrase (sa présence n'est pas obligatoire).	Le complément de phrase.	*Je ferai accorder le piano **demain**.* → *Je ferai accorder le piano ~~demain~~.*

Pour trouver le noyau d'un groupe du nom (sa présence est obligatoire).	Le nom (noyau du groupe du nom) et le déterminant qui l'accompagne.	*La **vie** des Inuits est passionnante.* Groupe du nom ➜ X *La **vie** des Inuits est passionnante.* Groupe du nom
Pour trouver le sujet du verbe.	Le nom (noyau du groupe du nom) et le déterminant qui l'accompagne.	*Les **moutons** du berger dorment.* Groupe sujet ➜ *Les **moutons** du berger dorment.* Groupe sujet

✧ Le déplacement

Le déplacement consiste à déplacer un mot ou un groupe de mots dans la phrase. Voici certains de ses emplois.

Le déplacement		
Quand l'utiliser ?	**Quoi déplacer ?**	**Exemples**
Pour trouver le complément de phrase (il est mobile).	Le complément de phrase.	*Je ferai accorder le piano **demain**.* ➜ ***Demain**, je ferai accorder le piano.* ➜ *Je ferai accorder, **demain**, le piano.*
Pour créer une phrase interrogative.	Le pronom sujet.	***Ils** attendent l'autobus.* ➜ *Attendent-**ils** l'autobus ?*

58

✧ Le remplacement

Le remplacement consiste à remplacer un mot ou un groupe de mots par un autre dans la phrase. Voici certains de ses emplois.

Le remplacement		
Quand l'utiliser?	Quoi remplacer?	Exemples
Pour vérifier la classe d'un mot.	Par exemple: un déterminant par un autre déterminant, un adjectif par un autre adjectif, etc.	***Certains** animaux hibernent.* ➜ ***Des** animaux hibernent.* Ici, *certains* est un déterminant car il peut être remplacé par un autre déterminant. ***Certains** hibernent alors que d'autres migrent.* ➜ ***Ils** hibernent alors que d'autres migrent.* Ici, *certains* est un pronom car il peut être remplacé par un autre pronom.
Pour déterminer la personne et le nombre du sujet.	Le groupe du nom sujet par un pronom.	***Vincent et sa famille** habitent les Laurentides.* ➜ ***Ils** habitent les Laurentides.*
Pour éviter les répétitions inutiles.	Un mot par un synonyme ou une expression équivalente.	***Myriam** pleurait : **la fillette** était perdue.*

✧ L'encadrement

L'ajout consiste à encadrer un mot ou un groupe de mots dans la phrase par *c'est... qui, ce sont... qui* ou *ne... pas*. Voici certains de ses emplois.

L'encadrement		
Quand l'utiliser?	Quoi encadrer?	Exemples
Pour trouver le sujet du verbe.	Le sujet par *c'est... qui* ou *ce sont... qui*.	***Étienne*** *vous prie de l'excuser.* ➜ *C'est **Étienne** qui vous prie de l'excuser.* ***Quelques invités impatients*** *partirent aussitôt.* ➜ *Ce sont **quelques invités impatients** qui partirent aussitôt.*
Pour trouver le verbe conjugué.	Le verbe conjugué par *ne... pas*.	*Il arriva avec une heure de retard.* ➜ *Il n' **arriva** pas avec une heure de retard.*

MARQUES DU DIALOGUE ━━━━━

➜ **dialogue**; **signes de ponctuation**

MARQUEUR DE RELATION

Mot invariable qui marque la relation entre des mots, des groupes de mots, des phrases ou des paragraphes. Voici une liste des principaux marqueurs de relation et leur sens.

Des marqueurs de relation		
Sens	Marqueurs de relation	Exemples
addition	ainsi que	*Le chat **ainsi que** le chien sont des mammifères.*
	et	*Marion **et** Violaine viendront jouer avec nous.*
	puis	*Il se réveilla **puis** consulta sa montre.*
cause-effet	car	*Je tremble **car** j'ai froid.*
	parce que	*Elle pleure **parce que** sa perruche est disparue.*
	puisque	*Il doit déjà être parti **puisque** son vélo n'est plus là.*
choix	soit... soit	*Pour ma collation, je prends **soit** un fruit, **soit** un yogourt.*
	ou bien	*Vous viendrez ce soir **ou bien** demain matin.*
	ou	*Que veux-tu, un jus **ou** un verre d'eau?*
comparaison	comme	*Ton sourire est **comme** un rayon de soleil.*
	moins... que	*Ma sœur est **moins** vieille **que** la tienne.*
	plus... que	*Ils ont eu **plus** de chance **que** nous.*
séquence (ordre des événements)	premièrement, deuxièmement, troisièmement...	*Demain, je suis très occupé. **D'abord**, je dois ranger ma chambre. **Ensuite**, il me faut aller à mon entraînement de baseball. **Enfin**, j'irai te rejoindre au parc après avoir dîné.*
	d'abord, enfin, ensuite	

MASCULIN

Un nom de genre masculin est un nom devant lequel on peut mettre le déterminant *un* ou *le*.

> un **caillou**, le **rocher**.

Un adjectif de genre masculin est un adjectif qui précise un nom masculin.

> un caillou **gris**, le **vieux** rocher.

→ **féminin** ; **genre**

MÉTAPHORE

Figure de style qui consiste à établir une comparaison entre deux éléments sans utiliser de mots de comparaison.

> *Ce garçon est une vraie girouette.*

MINUSCULE

Lettre de plus petite dimension (a, b, c, d, e…) que la majuscule (A, B, C, D, E…).

MODE DU VERBE

Exprime de quelle manière est utilisé le verbe. Il existe cinq modes : l'impératif, l'indicatif, l'infinitif, le participe et le subjonctif.
→ **conjugaison**

MOT COMPOSÉ

Mot formé par la réunion d'au moins deux mots. La langue française compte des mots composés avec trait d'union, sans trait d'union ou écrits en un seul mot. Voici comment écrire certains mots composés parmi les plus courants.

Orthographe de certains mots composés			
à jamais	celles-ci	grands-parents	pomme de terre
à peu près	celles-là	grille-pain	porc-épic
abat-jour	celui-ci	haut-parleur	porte-fenêtre
aigre-doux	celui-là	hôtel de ville	porte-monnaie
appareil photo	cerf-volant	là-bas	quelques-unes
après-demain	ceux-ci	là-haut	quelques-uns
après-midi	ceux-là	laissez-passer	rendez-vous
arc-en-ciel	chaise longue	lave-vaisselle	robe de chambre
au-dessous	chef-d'œuvre	libre-service	sac à dos
au-dessus	chemin de fer	machine à coudre	savoir-faire
avant-garde	compte-gouttes	machine à laver	sourd-muet
avant-hier	cure-dent	micro-ondes	sous-marin
avant-midi	disque compact	motoneige	sous-sol
bande dessinée	en effet	par contre	sous-vêtement
baseball	en-tête	paratonnerre	taille-crayon
blé d'Inde	football	passe-partout	tire-bouchon
bleu ciel	garde-chasse	passeport	tournesol
c'est-à-dire	garde-robe	peut-être	tout à coup
casse-tête	grand-mère	photocopie	va-et-vient
celle-ci celle-là	grand-père	pique-nique	

MOT DE BASE

Mot qui ne contient ni préfixe, ni suffixe. On se sert des mots de base pour former des mots dérivés.

Avec le mot de base **grand** on peut former des mots dérivés comme **grand**eur, **grand**iose, a**grand**ir, **grand**ement, a**grand**issement, etc.

MOT DE MÊME FAMILLE

→ **famille de mots**

MOT DE NÉGATION

Mot qui sert à construire des phrases négatives. Voici une liste des principaux mots de négation. → **forme de la phrase**

Les principaux mots de négation

Mots de négation	Exemples
aucun… ne/n'	**Aucun** chiot **n'**a été adopté.
ne/n'… aucun	Ils **n'**ont adopté **aucun** chiot.
ne/n'… jamais	Elle **ne** dit **jamais** son âge.
ne/n'… pas	Nous **ne** voulons **pas** de ketchup.
ne/n'… plus	Vous **n'**avez **plus** le temps.
ni… ni… ne/n'	**Ni** le gâteau **ni** la tarte **ne** sont cuits.
personne ne/n'…	**Personne n'**a osé dire la vérité.
rien ne/n'…	**Rien ne** nous fait peur.

MOT DÉRIVÉ

Mot de base auquel on a ajouté au moins un préfixe ou un suffixe.

Grandeur, **grand**iose, a**grand**ir, **grand**ement et a**grand**issement sont des mots dérivés du mot de base **grand**.

MOT INVARIABLE

Mot qui ne change jamais de forme, qui s'écrit toujours de la même façon.

MOT VARIABLE

Mot dont la forme peut changer selon le genre, le nombre, la personne, le temps, etc.

MOT-VALISE

Nouveau mot créé par la réunion du début d'un mot et la fin d'un autre mot.

*abribus (**abri**ter + auto**bus**)*

*caméscope (**camé**ra + magnéto**scope**).*

N

NOM

Mot variable dont la forme peut changer selon le nombre (*un chat/des chats*) et parfois selon le genre (*un chat/une chatte*).

Le nom sert à désigner des réalités comme des personnes (*moniteur, Chloé, voisin, sœur*), des animaux (*furet, Fido, moineau, araignée*), des choses (*divan, pain, herbe, fenêtre*), des lieux (*salon, dépanneur, ville, Espagne*), des actions (*accident, ménage, arrestation, consommation*), des sentiments (*respect, colère, bonheur, confiance*).

Il y a deux sortes de noms : le nom commun et le nom propre.

Le nom est un donneur : il donne son genre et son nombre au déterminant et à l'adjectif qui l'accompagnent.

*Les **chevaux** bruns gambadent.*
   masc. plur.

→ **accord dans le groupe du nom**

Le nom simple est formé d'un seul mot (*pain, vis*). Le nom composé est formé de plusieurs mots (*grille-pain, tournevis*).
→ **mot composé**

NOM COMMUN

Nom qui commence par une lettre minuscule. Il est souvent précédé d'un déterminant. Le nom commun désigne des réalités de manière générale. ➜ **nom propre**

un concierge, une moufette, sa générosité, la semaine.

NOM PROPRE

Nom qui commence toujours par une lettre majuscule. Le nom propre désigne des réalités de manière particulière.
➜ **nom commun**

des personnes et personnages : *Béatrice, Tintin, Étienne*

des animaux : *Fido, Garfield, Idéfix*

des lieux : *Repentigny, Ontario, Asie*

des populations : *une Québécoise, les Haïtiens, des Australiens*

autres réalités : *l'hôpital Charles-Lemoyne, la maison d'édition Caractère, l'émission* C'est quoi ton problème ?

NOMBRE

En français, il y a deux nombres : le singulier et le pluriel.

Le mot *œil* est au singulier ; le mot *yeux* est au pluriel.

NOYAU

Le noyau est le mot principal d'un groupe de mots. Par exemple, le noyau d'un groupe du nom est un nom tandis que le noyau d'un groupe du verbe est un verbe conjugué.

O

ONOMATOPÉE

Jeu de sonorités qui consiste à utiliser un mot pour évoquer un bruit particulier.

Ding dong ! (coup de sonnette)

Toc toc toc ! (bruit de quelqu'un qui frappe à la porte)

Cui-cui (chant d'un oiseau)

P

PARENTHÈSES

Signe de ponctuation dont on se sert pour encadrer une précision dans la phrase.

PARTICIPE

Le participe est un mode du verbe. → **conjugaison**

PARTICIPE PASSÉ

Le participe passé est utilisé avec les auxiliaires *avoir* et *être* pour la formation des temps composés.

*tu as **mordu**, nous aurions **pu**, elles sont **parties**.*

Quand il est utilisé seul (sans auxiliaire), le participe passé joue le rôle d'un adjectif.

*Les cadeaux **emballés**, un chandail **plié**, des leçons **apprises**.*

→ **accord du participe passé ; conjugaison**

PASSÉ COMPOSÉ

Le passé composé de l'indicatif est un temps composé du verbe.
→ **conjugaison**

PERSONNE DU VERBE

Un verbe peut être conjugué à la première, deuxième et troisième
personne du singulier ou du pluriel. → **conjugaison**

PHRASE

◇ Suite de mots bien ordonnés qui a du sens.

> *X Couronne la magnifique portait reine une.*

> *La reine portait une magnifique couronne.*

◇ Commence généralement par une majuscule et se termine
par un point.

> *X la reine portait sa magnifique couronne*

> *La reine portait sa magnifique couronne.*

◇ Comporte obligatoirement un groupe sujet et un groupe du
verbe. → **constituant obligatoire de la phrase**

> *X La reine.*

> *X Portait une magnifique couronne.*

> *La reine portait sa magnifique couronne.*

> Groupe sujet   Groupe du verbe

◇ En plus du groupe sujet et du groupe du verbe qui sont obligatoires, une phrase peut également comporter un groupe complément de phrase. → **constituant facultatif de la phrase**

> *La reine portait sa magnifique couronne pendant le bal.*

> Groupe sujet   Groupe du verbe   Groupe complément de phrase

P

PHRASE DÉCLARATIVE ▬▬▬▬▬▬

La phrase déclarative sert à raconter un fait, donner une information ou exprimer un point de vue. Elle se termine par un point (.). On se sert de la phrase déclarative pour construire les autres types de phrases. ➜ **type de phrases**

PHRASE EXCLAMATIVE ▬▬▬▬▬▬

La phrase exclamative sert à exprimer vivement une émotion, un sentiment ou un jugement. Elle se termine par un point d'exclamation (!). ➜ **type de phrases**

✧ **Construire une phrase exclamative**

Voici comment transformer une phrase déclarative pour construire une phrase exclamative.

Transformation d'une phrase déclarative en une phrase exclamative		
Moyens	Exemples	
	Phrase déclarative	Phrase exclamative
Ajouter un mot exclamatif.	*Ce papillon est superbe.* *Votre vie est passionnante.*	**Comme** *ce papillon est superbe!* **Que** *votre vie est passionnante!*
Utiliser un déterminant exclamatif.	*J'ai rencontré une bête étrange.*	**Quelle** *bête étrange j'ai rencontrée!*
Effacer le verbe et utiliser un déterminant exclamatif.	*La montagne est gigantesque.*	**Quelle** *montagne gigantesque!*

Une phrase exclamative sans verbe est tout de même considérée comme une phrase.

PHRASE IMPÉRATIVE

La phrase impérative sert à donner un ordre ou un conseil, ou à exprimer un souhait. Elle comporte toujours un verbe conjugué à l'impératif et se termine par un point (.) ou un point d'exclamation (!). ➔ **type de phrases**

◇ **Construire une phrase impérative**

Pour transformer une phrase déclarative en une phrase impérative, on efface le pronom et on conjugue le verbe à l'impératif.

Phrase déclarative	Phrase impérative
Tu marches vite.	*Marche vite.*
Nous jouons avec les chatons.	*Jouons avec les chatons.*
Vous êtes calmes.	*Soyez calmes.*

PHRASE INTERROGATIVE

La phrase interrogative sert à poser une question. Elle se termine par un point d'interrogation (?). ➔ **type de phrases**

◇ **Construire une phrase interrogative**

Voici comment transformer une phrase déclarative pour construire une phrase interrogative.

Transformation d'une phrase déclarative en une phrase interrogative		
Moyens	Exemples	
	Phrase déclarative	Phrase interrogative
Ajouter un pronom après le verbe.	*Les ciseaux sont brisés.*	*Les ciseaux sont-**ils** brisés**?***

Ajouter l'expression *est-ce que.*	*Noah fréquente la maternelle.*	**Est-ce que** *Noah fréquente la maternelle***?**
Déplacer le pronom.	*Nous irons patiner.*	*Irons-***nous** *patiner?*
Utiliser un mot interrogatif.	*Amaya aime dessiner.* *Djamal est au parc.*	**Qui** *aime dessiner?* **Où** *est Djamal?*

Lorsque le pronom suit immédiatement le verbe, on insère un trait d'union entre le verbe et le pronom.

Exemple: *Chantent-ils bien?*

PHRASE NÉGATIVE

La phrase négative sert à exprimer une négation, un refus, une interdiction. La phrase négative se construit à l'aide de mots de négation.

*Vous **ne** pouvez **pas** courir.*

PHRASE POSITIVE

Contrairement à la phrase négative, la phrase positive ne contient pas de mots de négation.

PHRASE SUBORDONNÉE

→ **pronom relatif**

PLURIEL

Un mot est au pluriel lorsqu'il désigne plusieurs personnes ou plusieurs choses. → **formation du pluriel des noms et adjectifs**; **nombre**; **singulier**

> Au pluriel, le mot *maison* s'écrit avec un *s*: *maisons*.

POINT

Signe de ponctuation dont on se sert pour indiquer la fin d'une phrase déclarative ou d'une phrase impérative.
→ **signe de ponctuation**

POINT D'EXCLAMATION

Signe de ponctuation dont on se sert pour indiquer la fin d'une phrase exclamative. → **signe de ponctuation**

POINT D'INTERROGATION

Signe de ponctuation dont on se sert pour indiquer la fin d'une phrase interrogative. → **signe de ponctuation**

PONCTUATION

→ **signe de ponctuation**

PRÉFIXE

Élément placé au début d'un mot de base et qui sert à former un nouveau mot.

> **centi**mètre, **mal**aise, **im**poli, **sur**monter.

Voici une liste des principaux préfixes et leur signification.

Les principaux préfixes		
Préfixes	Significations	Exemples
aéro-	air	**aéro**port
anti-	contre	**anti**dérapant, **anti**douleur
auto-	de soi-même	**auto**défense, **auto**collant
bi-	deux	**bi**centenaire, **bi**moteur
centi-	centième	**centi**mètre, **centi**litre
co-	avec	**co**voiturage, **co**équipier
dé-/dés-	contraire	**dé**courager, **dés**obéir
ex-	à l'extérieur de	**ex**porter
	qui a cessé d'être	**ex**-conjoint
extra-	en dehors	**extra**ordinaire, **extra**-terrestre
in-/im-/il-/ir-	contraire	**in**capable, **im**possible, **il**lisible, **ir**réel
inter-	entre	**inter**national, **inter**racial
kilo-	mille	**kilo**mètre, **kilo**gramme
mal-	contraire	**mal**heureux, **mal**chance
mi-	moitié	**mi**nuit, **mi**-temps
milli-	millième	**milli**mètre, **milli**gramme
multi-	plusieurs	**multi**culturel, **multi**joueur
para-	contre	**para**chute, **para**vent
poly-	nombreux	**poly**syllabique, **poly**glotte
pré-	avant	**pré**histoire, **pré**scolaire
re-/ré-/r-	de nouveau	**re**dire, **ré**crire, **r**emplir
super-	au-dessus de	**super**poser, **super**femme
sur-	au-dessus	**sur**charge, **sur**consommer
télé-	à distance	**télé**avertisseur, **télé**charger
	télévision	**télé**spectatrice, **télé**diffuser
tri-	trois	**tri**angle, **tri**place

PRÉPOSITION

Mot invariable qui sert à introduire un complément. Voici une liste des principales prépositions et leurs différents sens.

Les principales prépositions		
Prépositions	Sens	Exemples
à	lieu manière possession temps	*Il va à l'école.* *Je m'y rendrai à pied.* *Ce vélo appartient à Hubert.* *Elle arrive à quatre heures.*
afin de	but	*Applique un écran solaire afin de te protéger du soleil.*
après	temps	*Tu brosses tes dents après chaque repas.*
avant	temps	*Appelez-moi avant la tombée de la nuit.*
avec	manière	*Mélanie se déplace avec des béquilles.*
chez	lieu	*Ils ont rendez-vous chez le dentiste.*
contre	lieu opposition	*Maman a posé la pelle contre le mur.* *Attention aux sirops contre la toux!*
dans	lieu temps	*Victor s'habille dans sa chambre.* *Il sera prêt dans quelques minutes.*
de (d')	lieu possession temps	*Je reviens de Gatineau.* *Le chien de ma voisine jappe fort.* *Ils lisent de temps en temps.*
depuis	temps	*Il pleut depuis le début de la semaine.*
durant	temps	*Durant la cuisson, arrosez la viande.*
en	lieu manière matière temps	*Vous préférez vivre en banlieue.* *Nous voyageons en autobus.* *Son sac est en cuir de vache.* *Ils y parviendront en cinq minutes.*

malgré	opposition	*Sylvie sourit **malgré** son mal de tête.*
par	cause manière	*Tu es puni **par** ta faute.* *Je t'envoie mon adresse **par** courriel.*
pour	but lieu temps	*Respire profondément **pour** te calmer.* *Il prend l'autobus **pour** Ottawa.* *Les devoirs doivent être faits **pour** jeudi.*
sans	privation	*Tu sortiras **sans** tes parents.*
sur	lieu	*Pierrot vit seul **sur** son nuage.*

PRÉSENT

Le présent est un temps simple du verbe. Un verbe peut être conjugué au présent de l'impératif, de l'indicatif et du subjonctif.
→ **conjugaison**

PRONOM

Mot variable qui possède un genre, un nombre et une personne.

Les pronoms sont souvent des mots substituts, c'est-à-dire qu'ils remplacent un mot ou un groupe de mots déjà nommé dans le texte.

*Emmanuel est dans la cuisine. **Il** prépare une salade.*

Le pronom ***il*** remplace ***Emmanuel***.

Les pronoms peuvent également représenter les personnes, les animaux ou les choses qui communiquent. Les pronoms *je* et *nous* représentent l'être ou les êtres qui parlent. Les pronoms *tu* et *vous* représentent l'être ou les êtres à qui l'on parle.

*Gaël criait à ses amis: « **Je** suis meilleur que **vous** ! »*

Gaël   les amis de Gaël

Le pronom est un donneur : il donne sa personne et son nombre au verbe dont il est le sujet ou son nombre et son genre à l'adjectif qui le précise.

Elles racont**ent** *leur aventure.* *Elles* *sont heureu**ses** de le faire.*

3e pers. plur.   fém. plur.

Voici une liste des principaux types de pronoms.

✧ Les pronoms personnels

Les pronoms personnels sont les pronoms les plus courants. Ils désignent les personnes qui parlent, les personnes à qui l'on parle ou les personnes de qui l'on parle.

Les pronoms personnels			
SINGULIER	1re personne	je, j', me, m', moi	*Je me brosse les dents.*
	2e personne	tu, te, t', toi	*Toi, tu te prends vraiment au sérieux.*
	3e personne	il, elle, on, le, la, l', lui, se, s', en, y, soi	*Elle s'est fait mordre par un chien. Il a failli lui blesser un œil.*
PLURIEL	1re personne	nous	*Allons nous promener.*
	2e personne	vous	*Vous vous laverez les mains.*
	3e personne	ils, elles, les, leur, eux, se, s', en, y	*Eux se baignent souvent dans le lac. Ils y passent de nombreuses heures.*

✧ Les pronoms démonstratifs

Le pronom démonstratif désigne une personne, un animal, une chose ou une réalité que l'on veut montrer.

Les pronoms démonstratifs			
SINGULIER	masculin	celui, celui-ci, celui-là, ceci, cela, ça, ce, c'	*Si tu veux un fruit, choisis celui qui est le plus mûr.*
	féminin	celle, celle-ci, celle-là	*Je préfère cette pomme, celle-là est trop grosse.*

PLURIEL	masculin	ceux, ceux-ci, ceux-là	*Voici des légumes.* **Ceux-ci** *viennent de mon potager.*
	féminin	celles, celles-ci, celles-là	*Ces framboises sont cultivées,* **celles-ci** *sont sauvages.*

✧ Les pronoms possessifs

Le pronom possessif exprime un lien d'appartenance ou de possession.

Les pronoms possessifs				
		Masculin		Féminin
		Singulier	Pluriel	Singulier	Pluriel
SINGULIER	1re personne (à moi)	le mien	les miens	la mienne	les miennes
	2e personne (à toi)	le tien	les tiens	la tienne	les tiennes
	3e personne (à lui / à elle)	le sien	les siens	la sienne	les siennes
PLURIEL	1re personne (à nous)	le nôtre	les nôtres	la nôtre	les nôtres
	2e personne (à vous)	le vôtre	les vôtres	la vôtre	les vôtres
	3e personne (à eux / à elles)	le leur	les leurs	la leur	les leurs
Exemples	*Le cédérom usagé est* **le mien**, **le leur** *est neuf.* *Mes mitaines sont sèches,* **les vôtres** *sont encore humides.* *Prenons votre voiture,* **la nôtre** *est au garage.*			

❖ Les pronoms indéfinis

Le pronom indéfini désigne des personnes, des animaux, des choses ou une réalité dont la quantité ou l'identité n'est pas précisée.

Voici une liste des principaux pronoms indéfinis.

Les principaux pronoms indéfinis	
certains/certaines	***Certains*** *ont des animaux à la maison.*
chacun/chacune	***Chacune*** *a déjeuné ce matin.*
grand-chose	*Je n'ai pas mangé **grand-chose**.*
on	***On*** *annonce une tempête.*
personne	***Personne*** *n'y échappera.*
plusieurs	***Plusieurs*** *ont passé leur temps à la maison.*
quelqu'un/quelques-uns/ quelques-unes	***Quelques-unes*** *prendront l'autobus.*
quelque chose	***Quelque chose*** *me tourmente.*
rien	***Rien*** *ne surprend la policière.*
tous, tout/toutes	***Tous*** *restent assis.*

❖ Les pronoms interrogatifs

Le pronom interrogatif s'emploie au début d'une phrase pour poser une question.

Les pronoms interrogatifs		
SINGULIER	quel/quelle, lequel/laquelle	***Quelle*** *est ta couleur préférée ?* ***Laquelle*** *choisis-tu ?*

P

PLURIEL	quels/quelles, lesquels/lesquelles	***Quels*** *sont les plus beaux fleuves ?* ***Lesquels*** *ne sont pas pollués ?*
INVARIABLE	qui que quoi	***Qui*** *part en voyage cet été ?* ***Que*** *visiterez-vous ?* *À **quoi** cela vous servira-t-il ?*

✧ **Les pronoms relatifs**

Le pronom relatif remplace un mot ou un groupe de mots déjà nommé dans la phrase.

Voici une liste des principaux pronoms relatifs.

Les principaux pronoms relatifs	
dont	*Ils dorment dans la pièce **dont** la porte est fermée.* Le pronom ***dont*** remplace ***de la pièce**.*
où	*J'ai beaucoup pleuré le jour **où** j'ai perdu ma première dent.* Le pronom ***où*** remplace ***le jour**.*
que	*Tu dois trouver les livres **que** tu as empruntés à la bibliothèque.* Le pronom ***que*** remplace ***les livres**.*
qui	*Vous faites un bricolage **qui** demande de la patience.* Le pronom ***qui*** remplace ***un bricolage**.*

PRONOM DÉMONSTRATIF ▬▬▬▬

Désigne une personne, un animal, une chose ou une réalité que l'on veut montrer. ➔ **pronom**

R

PRONOM INDÉFINI

Désigne des personnes, des animaux, des choses ou une réalité dont la quantité ou l'identité n'est pas précisée. → **pronom**

PRONOM INTERROGATIF

S'emploie au début d'une phrase pour poser une question. → **pronom**

PRONOM PERSONNEL

Type de pronom le plus courant. Les pronoms personnels désignent les personnes qui parlent, les personnes à qui l'on parle ou les personnes de qui l'on parle. → **pronom**

PRONOM POSSESSIF

Exprime un lien d'appartenance ou de possession. → **pronom**

PRONOM RELATIF

Remplace un mot ou un groupe de mots déjà nommé dans la phrase. → **pronom**

R

RADICAL

Partie du verbe qui ne change généralement pas dans la conjugaison. → **conjugaison**

RECEVEUR

On dit d'un mot qu'il est receveur lorsqu'il reçoit son genre, son nombre ou sa personne d'un autre mot.

L'adjectif est un receveur, car il reçoit son genre et son nombre du nom qu'il accompagne.

REMPLACEMENT

Manipulation syntaxique qui consiste à remplacer un mot ou un groupe de mots par un autre dans la phrase.

RÉPÉTITION

Figure de style qui consiste à répéter un même mot ou groupe de mots au début de phrases qui se suivent.

> ***Je la voulais*** *jaune.*
>
> ***Je la voulais*** *unique.*
>
> ***Je la voulais*** *brillante.*
>
> ***Je la voulais*** *tout entière.*
>
> *Tu m'as offert la lune…*

RÉPLIQUE

Ce que dit ou répond une personne ou un personnage.
→ **dialogue**

RIME

Jeu de sonorités qui consiste à répéter un même son à la fin de phrases ou de vers qui se suivent.

> *Mes deux bœufs*
>
> *Sont amoureux.*
>
> *Mes corneilles*

Chantent à merveille.

Mes moustiques

Sont dynamiques.

Et puis moi?

Je touche du bois.

SENS COMMUN

→ **sens propre**

SENS DES MOTS

→ **sens figuré**; **sens propre**

SENS FIGURÉ

Un mot peut avoir différents sens selon le contexte dans lequel il est utilisé. Lorsque le mot est employé pour créer une image, on dit que son sens est figuré. Plusieurs expressions font appel au sens figuré des mots.

→ **expression**; **sens propre**

Voici quelques exemples d'utilisation du verbe *tomber* au sens figuré.

*Elle **tombe** dans les pommes à chacun de ses vaccins.* (elle s'évanouit)

*En apprenant ta victoire, il **est tombé** en bas de sa chaise.* (il a été très surpris)

*Nous **tombons** de fatigue.* (nous sommes épuisés)

*Tu **tombes** à pic!* (tu arrives au bon moment)

SENS PROPRE

Un mot peut avoir différents sens selon le contexte dans lequel il est utilisé. Le sens propre d'un mot est son sens le plus habituel.
→ **sens figuré**

Voici quelques exemples d'utilisation du verbe *tomber* au sens propre.

*Elle **est tombée** en patinant.* (elle a chuté)

*De gros grêlons **tombent**.* (ils descendent vers le sol)

*Nos cheveux **tombent** en vieillissant.* (ils se détachent)

Le sens propre est parfois appelé sens commun.

SIGNE DE PONCTUATION

Les signes de ponctuation servent à indiquer les pauses et les intonations dans un texte. Voici une liste des principaux signes de ponctuation et de leurs usages les plus courants.

Les signes de ponctuation		
Signes	Usages	Exemples
le deux-points [:]	• Introduit une énumération	*Il vendait des antiquités: des meubles, des bibelots, des livres et des bijoux.*
	• Introduit une explication	*Les gens se bousculaient devant la porte: c'était le jour des soldes.*
	• Introduit des paroles rapportées	*Elle lui a demandé: «Pourquoi souris-tu?»*
les guillemets [« »]	Encadrent des paroles rapportées ou une citation	*J'ai chuchoté à son oreille: «Veux-tu être mon Valentin?»*
les parenthèses [( )]	Encadrent une précision dans la phrase	*La petite Juliette (quatre ans) récitait son poème.*

le point [.]	Termine une phrase déclarative ou impérative	*Nous n'avons rien de prévu ce midi. Venez donc dîner avec nous.*
le point d'excla-mation [!]	Termine une phrase exclamative	*Vive le Bonhomme Carnaval!*
le point d'inter-rogation [?]	Termine une phrase interrogative	*Connais-tu les différents carnavals?*
le tiret [–]	Se place devant les différentes répliques d'un dialogue	*– Qui vient de téléphoner?* *– C'était oncle Christian.*
la virgule [,]	• Sépare les éléments d'une énumération • Isole un complé-ment de phrase • Isole un mot ou un groupe de mots désignant la ou les personnes à qui l'on parle • Isole un groupe de mots désignant la ou les personnes qui parlent	*Il vous faut un maillot, une serviette, des lunettes et de la crème solaire.* *En l'an 2050, j'aurai 61 ans.* *Les enfants, c'est l'heure d'aller au lit.* *«Il fait froid», dit-elle en grelotant.*

SINGULIER

Un mot est au singulier lorsqu'il désigne une seule personne ou une seule chose.

Au singulier, le mot *chevaux* devient *cheval*.

→ **genre**; **pluriel**

SUBJONCTIF

Le subjonctif est un mode du verbe. → **conjugaison**

SUFFIXE ▬▬▬

Élément placé à la fin d'un mot et qui sert à former un nouveau mot.

Voici une liste de suffixes courants et leur signification.

Suffixes		
Suffixes	Significations	Exemples
-able	possibilité	*confortable, supportable*
-ade	action	*glissade, promenade*
-age	action	*chauffage, repassage*
-ain/-aine	origine	*africain/africaine*
-aine	groupe de	*dizaine, douzaine*
-ais/-aise	origine	*montréalais/montréalaise, français/française*
-al/-ale	qui a rapport à	*national/nationale, végétal/végétale*
-ant/-ante	qui fait une action	*correspondant/correspondante, gagnant/gagnante*
-ateur/- atrice	qui fait une action	*spectateur/spectatrice, animateur/animatrice*
-ation	action	*fabrication, éducation*
-ée	quantité	*poignée, pelletée*
-el/-elle	qui a rapport à	*artificiel/artificielle, habituel/habituelle*
-ent/-ente	caractéristique	*différent/différente, transparent/transparente*
-er	action	*transformer, adresser*

-er/-ère	occupation	*conseiller/conseillère, boucher/bouchère*
-eux/-euse	caractéristique	*chanceux/chanceuse, dangereux/dangereuse*
-ien/-ienne	origine occupation	*italien/italienne, chilien/chilienne électricien/électricienne*
-ier/- ière	occupation	*cordonnier/cordonnière, policier/policière*
-if/-ive	caractéristique	*instructif/instructive, négatif/négative*
-ique	qui a rapport à science	*sympathique, zoologique politique, informatique*
-ir	action	*ouvrir, réagir*
-iste	occupation	*fleuriste, pianiste*
-tion	action	*compétition, démolition*
-ment	pour former des adverbes	*immédiatement, lentement*
-ois/-oise	origine	*chinois/chinoise, québécois/québécoise*

SUJET

→ **groupe sujet**

SYLLABE

Ensemble de lettres qui se prononcent ensemble, dans un seul coup de voix.

ja/mais (2 syllabes), *gui/mau/ve* (3 syllabes), *pro/me/na/de* (4 syllabes).

SYNONYME

Mot qui a le même sens qu'un autre mot ou qui a un sens semblable.

rire/rigoler, peureuse/craintive, rapidement/vite.

TEMPS COMPOSÉ

Les verbes conjugués à un temps composé sont formés de deux mots (on ne compte pas le pronom) : un auxiliaire (*avoir* ou *être*) et le participe passé du verbe. Il existe différents temps composés, dont le passé composé, le plus-que-parfait, le passé antérieur, le futur antérieur et le conditionnel passé. → **temps simple**

Pronom	Auxiliaire	Participe passé
j'	*ai*	*cherché*
tu	*avais*	*voulu*
elle	*serait*	*allée*
nous	*aurions*	*fait*
vous	*étiez*	*venus*
ils	*ont*	*compris*

TEMPS DES VERBES

→ **conjugaison**

TEMPS SIMPLE

Les verbes conjugués à un temps simple sont formés d'un seul mot (on ne compte pas le pronom). Les temps simples du mode indicatif sont le présent, l'imparfait, le futur simple, le conditionnel présent et le passé simple. → **temps composé**

Temps du mode indicatif	Pronom	Verbe
présent	vous	jonglez
imparfait	je	mordais
conditionnel présent	tu	voudrais
passé simple	ils	vécurent

TERMINAISON

Partie du verbe qui change selon le mode, le temps, le nombre et la personne auxquels le verbe est conjugué. → **conjugaison**

TIRET

Signe de ponctuation dont on se sert pour distinguer les différentes répliques d'un dialogue.

TRAIT D'UNION

Le trait d'union sert à unir des mots pour former des mots composés. Voici quelques mots composés courants construits avec un ou plusieurs traits d'union.

après-demain	celle-ci	cure-dent	micro-ondes
après-midi	celle-là	garde-robe	peut-être
arc-en-ciel	celles-ci	grand-mère	pique-nique
au-dessous	celles-là	grand-père	porc-épic
au-dessus	celui-ci	grands-parents	quelques-unes
avant-hier	celui-là	grille-pain	quelques-uns

avant-midi	cerf-volant	là-bas	sous-marin
c'est-à-dire	ceux-ci	là-haut	sous-sol
casse-tête	ceux-là	libre-service	sous-vêtement

Les mots composés ne s'écrivent pas tous avec un trait d'union : autoroute, bonhomme, disque compact, portefeuille, tournevis.

TRÉMA

Signe que l'on place surtout sur les lettres *e* et *i*. Le tréma indique que les deux voyelles qui se suivent doivent se prononcer séparément. Voici quelques mots courants comportant un tréma.

aiguë	égoïste	Israël	Michaëlle
Anaïs	haïr	Joël	naïf
astéroïde	héroïne	maïs	Noël

TYPE DE PHRASES

Il existe quatre types de phrases : la phrase déclarative, la phrase interrogative, la phrase impérative et la phrase exclamative.

Les types de phrases		
Types de phrases	Caractéristiques	Exemples
phrase déclarative	• Pour raconter un fait, donner une information ou exprimer un point de vue. • Elle se termine par un point (.).	*Gérard pédale rapidement.* *Fanny devrait faire plus d'efforts.* *Le voleur portait une cagoule.*
phrase interrogative	• Pour poser une question.	*À quelle heure dîneras-tu ?* *Est-ce que le temps est clément ?*

	• Elle se termine par un point d'interrogation (?).	*Veux-tu que je t'appelle ce soir?*
phrase exclamative	• Pour exprimer vivement une émotion, un sentiment ou un jugement. • Elle se termine par un point d'exclamation (!).	*Comme j'ai chaud!* *Ce qu'il est bavard!* *Quel beau bulletin tu as!*
phrase impérative	• Pour donner un ordre ou un conseil ou exprimer un souhait. • Comporte un verbe conjugué à l'impératif. • Elle se termine par un point (.) ou par un point d'exclamation (!).	*Raconte-moi ta peine.* *Ne courez pas près de la piscine!* *Gardons le silence.*

VARIABLE

→ **mot variable**

VERBE

Mot variable dont la forme peut changer selon le mode et le temps (*je pense, je pensais, je penserai,* etc.) et selon la personne de son groupe sujet (*je penserai, elle pensera, vous penserez,* etc.).

V

Le verbe est généralement placé après son groupe sujet et parfois avant.

> Ex. : *Je   vais au cinéma ce soir. Voudrais-tu m'accompagner ?*
>   sujet verbe   verbe   sujet

La plupart des verbes permettent d'exprimer une action faite par le sujet.

> *Louis **marche** jusqu'à son lieu de travail.*
>
> *Un enfant **dort** en moyenne dix heures par jour.*
>
> *Nous **réfléchissons** à une solution.*
>
> *Les fées **aiment** les robes scintillantes.*

Quelques verbes permettent d'attribuer une caractéristique au sujet. Ces verbes sont appelés verbes attributifs.

> *Nicolas **semble** amoureux.*

VERBE ATTRIBUTIF ▬▬▬▬

Verbe qui permet d'attribuer une caractéristique au groupe sujet. Voici une liste des principaux verbes attributifs.

Les principaux verbes attributifs	
Verbes	Exemples
être	*La nuit **est** splendide.*
paraître	*La lune **paraît** souriante.*
sembler	*Les étoiles **semblent** rayonnantes.*
devenir	*Le ciel **devient** féérique.*
rester	*Je **reste** immobile devant ce spectacle.*
demeurer	*Cette nuit **demeurera** gravée dans ma mémoire.*

Le verbe attributif est parfois appelé verbe d'état.

Lorsque tu peux remplacer un verbe par le verbe *être*, il s'agit d'un verbe attributif.

VERBE AUXILIAIRE

→ **auxiliaire**

VERBE CONJUGUÉ

Un verbe est conjugué lorsqu'il n'est pas à l'infinitif ou au participe présent. La forme du verbe conjugué varie selon la personne et le nombre du sujet.

*Victor vi**t** dans une hutte.*

*Victor et Agathe viv**ent** dans une hutte.*

*Vous viv**ez** dans une hutte.*

VERBE D'ÉTAT

→ **verbe attributif**

VERBE IRRÉGULIER

Verbe qui suit des règles particulières. Ces verbes sont à apprendre par cœur.

✧ Les **verbes en** *-ir* **qui ne se terminent pas par** *-issons* **à la première personne du pluriel de l'indicatif présent** sont des verbes irréguliers.

*nous **sort**ons, tu **sor**s, **sort**ons*

*nous **part**ons, je **par**s, ils **part**irent*

✧ Les **verbes en -oir** sont des verbes irréguliers.

 *nous **sav**ons, tu **sau**ras, qu'ils **sach**ent*

 *j'**av**ais, nous **au**rons, que tu aies*

✧ Les **verbes en -re** sont des verbes irréguliers.

 *nous **pren**ons, tu **prend**ras, qu'elles **pren**nent*

 *je **pein**s, elle **peign**ait, vous **peind**riez*

VERBE MODÈLE ▬▬▬

Verbe qui sert de référence pour conjuguer tous les autres verbes qui se comportent comme lui.

 Le verbe *aimer* est le verbe modèle pour les verbes dont l'infinitif se termine en -er.

VERBE NON ATTRIBUTIF ▬▬▬

Tous les verbes sont non attributifs à l'exception des verbes *être, paraître, sembler, devenir, rester* et *demeurer*. ➜ **verbe attributif**.

VERBE RÉGULIER ▬▬▬

Verbe qui se conjugue de la même façon.

✧ **Les verbes en -er**

 Les verbes dont l'infinitif se termine par -er sont réguliers. Ces verbes ont toujours les mêmes terminaisons.

 *j'aim**ais**, je dans**ais**, je pens**ais**, je pleur**ais***

 *tu aim**es**, tu dans**es**, tu pens**es**, tu pleur**es***

Même si son infinitif se termine par -er, le verbe *aller* est un verbe irrégulier.

De plus, ils ont généralement un radical qui ne change pas.

*tu **dans**es, il **dans**ait, nous **dans**erons, elle **dans**a, **dans**ez*

*je **pleur**e, vous **pleur**iez, elles **pleur**eront, il **pleu**ra, **pleur**ons*

Voici quelques verbes en -er dont le radical change un peu pendant la conjugaison.

- Les **verbes en -cer**, comme *pla**cer**, *pronon**cer*** et *commen-**cer***, dont le *c* se transforme en *ç* devant les voyelles *a* et *o*.

  *je pla**ç**ais, nous pronon**ç**ons* ➜ tableau de conjugaison 40

- Les **verbes en -ger**, comme *bou**ger**, *man**ger*** et *na**ger***, dont le *g* se transforme en *ge* devant les voyelles *a* et *o*.

  *tu bou**ge**ais, nous na**ge**ons* ➜ tableau de conjugaison 9

- Les **verbes en -yer**, comme *envo**yer*** et *netto**yer***, dont le *y* se transforme en *i* devant un *e* muet.

  *j'envo**i**e, tu netto**i**es* ➜ tableaux de conjugaison 22 et 35…

- Les **verbes en -eler, -emer, -ener, -eser, -eter** et **-ever**, comme *g**eler**, *s**emer**, *emm**ener**, *p**eser**, *ach**eter*** et *l**ever***, dont le *e* se transforme en *è* devant une syllabe contenant un *e* muet.

  *tu s**è**mes, ils l**è**vent* ➜ tableau de conjugaison 1

  Sauf les **verbes appeler, rappeler, jeter, rejeter** et **pelle-ter**, dont on double le *l* ou le *t* devant un *e* muet.

  *tu appe**ll**es, elle je**tt**e* ➜ tableaux de conjugaison 4 et 30

- Les **verbes en -écher, -éder, -éler, -érer** et **-éter**, comme *s**écher**, *c**éder**, *rév**éler**, *dig**érer*** et *rép**éter***, dont le *é* peut se transformer en *è* devant une syllabe contenant un *e* muet.

  *je dig**è**rerais, je dig**é**rerais* ➜ tableau de conjugaison 49

✧ **Les verbes en** *-ir*

Les verbes dont l'infinitif se termine par *-ir* et dont la terminaison est *-issons* à la première personne du pluriel (nous) de l'indicatif présent sont des verbes réguliers. Ces verbes ont toujours les mêmes terminaisons.

*je fin**is**, je grand**is**, je sub**is**, je roug**is***

*elle fin**ira**, elle grand**ira**, elle sub**ira**, elle roug**ira***

De plus, leur radical présente deux formes.

*je **grand**is, tu **grand**is, il **grand**it, nous **grand**issons, vous **grand**issez, ils **grand**issent*

VIRGULE

Signe de ponctuation dont on se sert pour séparer les éléments d'une énumération ou pour isoler un mot ou un groupe de mots.

VOYELLE

L'alphabet français compte six voyelles, ce sont les lettres *a, e, i, o, u* et *y*. ➜ **consonne**

Voici une liste des verbes utilisés fréquemment. Pour savoir comment les conjuguer, consulte le tableau de conjugaison correspondant au numéro indiqué.

A							
abandonner	2	allumer	2	augmenter	2	brûler	2
abattre	7	amener	1	avaler	2	**C**	
aborder	2	amuser	2	avancer	40	cacher	2
abriter	2	animer	2	avertir	26	calculer	2
abuser	2	annoncer	2	**AVOIR**	6	calmer	2
accepter	2	annoncer	40	avouer	2	camper	2
accompagner	2	apercevoir	47			casser	2
accourir	14	apparaître	12	**B**		causer	2
accrocher	2	appartenir	55	baigner	2	cesser	2
accueillir	17	**APPELER**	4	baisser	2	changer	9
accuser	2	applaudir	26	balayer	38	chanter	2
ACHETER	1	apporter	2	barrer	2	charger	9
achever	1	apprendre	45	bâtir	26	charmer	2
additionner	2	approcher	2	**BATTRE**	7	chasser	2
admettre	32	arracher	2	bénir	26	chatouiller	2
admirer	2	arranger	9	bercer	40	chauffer	2
adopter	2	arrêter	2	blanchir	26	chausser	2
adorer	2	arriver	2	blesser	2	chercher	2
affaiblir	26	arroser	2	bloquer	2	choquer	2
afficher	2	**ASSEOIR**	5	**BOIRE**	8	circuler	2
affirmer	2	assister	2	boucher	2	classer	2
agacer	40	assommer	2	bouder	2	clouer	2
agir	26	assurer	2	**BOUGER**	9	coiffer	2
aider	2	attacher	2	**BOUILLIR**	10	coller	2
aiguiser	2	attaquer	2	brailler	2	colorer	2
AIMER	2	atteindre	39	brasser	2	colorier	2
ajouter	2	attendre	48	bricoler	2	combattre	7
ALLER	3	atterrir	26	briller	2	commander	2
allonger	9	attirer	2	briser	2	commencer	40
		attraper	2	brosser	2		

comparer	2
composer	2
compter	2
concerner	2
CONDUIRE	11
confier	2
CONNAÎTRE	12
conseiller	2
conserver	2
consoler	2
construire	11
conter	2
continuer	2
convenir	55
copier	2
coucher	2
COUDRE	13
couler	2
couper	2
COURIR	14
coûter	2
couvrir	36
CRAINDRE	15
craquer	2
créer	2
creuser	2
crier	43
CROIRE	16
croquer	2
CUEILLIR	17
cuire	11
cultiver	2

D

danser	2
débarquer	2
déborder	2
déchirer	2
décider	2
déclarer	2
décorer	2
découdre	13
décourager	9
découvrir	36
décrire	21
défaire	24
défendre	48
définir	26
dégager	9
déguiser	2
déjeuner	2
délivrer	2
demander	2
déménager	9
demeurer	2
démolir	26
dépasser	2
dépêcher	2
dépendre	48
dépenser	2
déplacer	40
déplaire	41
déplier	43
déposer	2
déranger	9
descendre	48

déshabiller	2
désirer	2
désobéir	26
dessiner	2
détacher	2
détester	2
détruire	11
développer	2
devenir	57
deviner	2
DEVOIR	18
dévorer	2
digérer	49
diminuer	2
dîner	2
DIRE	19
diriger	9
discuter	2
disparaître	12
distinguer	2
distribuer	2
divertir	26
diviser	2
divorcer	40
dompter	2
donner	2
DORMIR	20
douter	2
dresser	2
durer	2

E

échanger	9
échapper	2

éclaircir	26
éclairer	2
éclater	2
écouter	2
écraser	2
écrier	43
ÉCRIRE	21
effacer	40
effrayer	38
élever	1
élire	31
éloigner	2
embarquer	2
embrasser	2
emmêler	2
emménager	9
emmener	1
emmitoufler	2
empêcher	2
emplir	26
employer	35
emporter	2
emprunter	2
endormir	20
enfermer	2
enfuir (s')	27
engager	9
enlever	1
ennuyer	35
enregistrer	2
enrichir	26
enseigner	2
entendre	48
enterrer	2

entourer	2	fendre	48	guetter	2	**LIRE**	31
entraîner	2	fermer	2			livrer	2
entrer	2	fêter	2	**H**			
entretenir	55	fier (se)	43	habiller	2	**M**	
envoler	2	**FINIR**	26	habiter	2	mâcher	2
ENVOYER	22	fixer	2	habituer (s')	2	magasiner	2
équivaloir	56	flatter	2	**HAÏR**	29	maintenir	55
espérer	49	flotter	2	hésiter	2	manger	9
essayer	38	fonctionner	2			manquer	2
essuyer	35	fondre	50	**I**		marcher	2
éteindre	39	forcer	40	imaginer	2	marier	43
étendre	48	former	2	imposer	2	marquer	2
étonner	2	fouetter	2	imprimer	2	méfier (se)	43
ÊTRE	23	fournir	26	informer	2	mélanger	9
étudier	43	frapper	2	inscrire	21	mêler	2
évanouir (s')	26	frotter	2	installer	2	mener	1
éviter	2	**FUIR**	27	instruire	11	mentir	37
examiner	2	fumer	2	intéresser	2	mériter	2
exciter	2	fureter	1	interroger	9	mesurer	2
excuser	2			intervenir	57	**METTRE**	32
exercer	40	**G**		inventer	2	miauler	2
exiger	9	gagner	2	inviter	2	monter	2
exister	2	garantir	26			montrer	2
expliquer	2	garder	2	**J**		moquer (se)	2
exploser	2	gâter	2	**JETER**	30	mordre	48
exposer	2	**GELER**	28	jouer	2	mouiller	2
exprimer	2	glisser	2	juger	9	**MOURIR**	
		goûter	2			(être)	33
F		grandir	26	**L**		multiplier	43
fabriquer	2	gratter	2	lâcher	2		
fâcher	2	grelotter	2	laisser	2	**N**	
FAIRE	24	grimper	2	lancer	40	nager	9
FALLOIR	25	grossir	26	laver	2	**NAÎTRE**	34
fatiguer	2	guérir	26	lever	1	naviguer	2
				libérer	49		

neiger	9	pêcher	2	**PRENDRE**	45	réchauffer	2
NETTOYER	35	pédaler	2	préparer	2	rechercher	2
nommer	2	peigner	2	présenter	2	recommencer	40
noter	2	**PEINDRE**	39	presser	2	reconduire	11
nourrir	26	pelleter	30	prêter	2	reconnaître	12
noyer	35	pencher	2	prévenir	57	recoudre	13
nuire	11	pendre	48	prévoir	59	recouvrir	36
		penser	2	prier	43	recueillir	17
O		percer	40	produire	11	reculer	2
obéir	26	perdre	48	profiter	2	redescendre	48
obliger	9	permettre	32	promener	1	redevenir	57
observer	2	peser	1	promettre	32	redire	19
obtenir	55	photographier	43	prononcer	40	réessayer	38
occuper	2	piquer	2	**PROTÉGER**	46	refaire	24
offrir	36	**PLACER**	40	prouver	2	réfléchir	26
opérer	49	plaindre	15	provenir	57	refroidir	26
organiser	2	**PLAIRE**	41	punir	26	refuser	2
oser	2	planter	2			regarder	2
ôter	2	pleurer	2	**Q**		regretter	2
oublier	43	**PLEUVOIR**	42	quitter	2	rejeter	30
OUVRIR	36	**PLIER**	43			réjouir	26
		plonger	9	**R**		relever	1
P		polluer	2	raccourcir	26	relire	31
paraître	12	pondre	50	racheter	1	reluire	11
parcourir	14	porter	2	raconter	2	remarquer	2
pardonner	2	poser	2	ralentir	26	remercier	43
parler	2	posséder	49	ramasser	2	remettre	32
partager	9	poster	2	ramener	1	remonter	2
participer	2	poursuivre	54	ranger	9	remplacer	40
PARTIR	37	pousser	2	rappeler	4	remplir	26
parvenir	57	**POUVOIR**	44	rapporter	2	rencontrer	2
passer	2	pratiquer	2	réagir	26	rendormir	20
patiner	2	précéder	49	réaliser	2	**RENDRE**	48
PAYER	38	préférer	49	**RECEVOIR**	47	rentrer	2

renverser	2	ronger	9	soulager	9	traverser	2
renvoyer	22	rougir	26	soulever	1	trembler	2
réparer	2	rouler	2	souper	2	tromper (se)	2
repartir	37	rouvrir	36	sourire	51	trouver	2
repasser	2			soutenir	55	tuer	2
repeindre	39	**S**		**SUIVRE**	54		
RÉPÉTER	49	saigner	2	supporter	2	**U**	
replacer	40	saisir	26	supposer	2	unir	26
replier	43	salir	26	surprendre	45	utiliser	2
RÉPONDRE	50	saluer	2	sursauter	2		
reposer	2	satisfaire	24	surveiller	2	**V**	
reprendre	45	sauter	2	survivre	58	**VALOIR**	56
représenter	2	sauver	2			veiller	2
reprocher	2	**SAVOIR**	52	**T**		vendre	48
réserver	2	sécher	49	taper	2	venger	9
respecter	2	secouer	2	tasser	2	**VENIR**	57
respirer	2	secourir	14	teindre	39	vérifier	43
resplendir	26	sembler	2	téléguider	2	vider	2
ressembler	2	semer	1	téléphoner	2	vieillir	26
rester	2	sentir	37	tendre	48	visiter	2
retenir	55	séparer	2	**TENIR**	55	**VIVRE**	58
retirer	2	serrer	2	tenter	2	**VOIR**	59
retourner	2	**SERVIR**	53	terminer	2	voler	2
retrouver	2	siffler	2	tirer	2	**VOULOIR**	60
réussir	26	signer	2	tomber	2	voyager	9
réveiller	2	situer	2	tordre	48		
révéler	49	skier	43	toucher	2		
revenir	57	soigner	2	tourner	2		
rêver	2	songer	9	tousser	2		
réviser	2	sonner	2	traîner	2		
revivre	58	sortir	37	traiter	2		
revoir	59	souffler	2	transformer	2		
RIRE	51	souffrir	36	transporter	2		
risquer	2	souhaiter	2	travailler	2		

1 • ACHETER

Indicatif

Présent

j'	ach**è**t**e**
tu	ach**è**t**es**
il/elle	ach**è**t**e**
nous	achet**ons**
vous	achet**ez**
ils/elles	ach**è**t**ent**

Futur simple

j'	ach**è**t**erai**
tu	ach**è**t**eras**
il/elle	ach**è**t**era**
nous	ach**è**t**erons**
vous	ach**è**t**erez**
ils/elles	ach**è**t**eront**

Impératif

Présent

ach**è**t**e**
achet**ons**
achet**ez**

Imparfait

j'	achet**ais**
tu	achet**ais**
il/elle	achet**ait**
nous	achet**ions**
vous	achet**iez**
ils/elles	achet**aient**

Conditionnel présent

j'	ach**è**t**erais**
tu	ach**è**t**erais**
il/elle	ach**è**t**erait**
nous	ach**è**t**erions**
vous	ach**è**t**eriez**
ils/elles	ach**è**t**eraient**

Subjonctif

Présent

que	j'	ach**è**t**e**
que	tu	ach**è**t**es**
qu'	il/elle	ach**è**t**e**
que	nous	achet**ions**
que	vous	achet**iez**
qu'	ils/elles	ach**è**t**ent**

Passé composé

j'	ai	acheté
tu	as	acheté
il/elle	a	acheté
nous	avons	acheté
vous	avez	acheté
ils/elles	ont	acheté

Passé simple

il/elle	achet**a**
ils/elles	achet**èrent**

Infinitif

Présent

achet**er**

Participe

Présent

achet**ant**

Passé

achet**é**
achet**és**
achet**ée**
achet**ées**

2 • AIMER

Indicatif

Présent

j'	aim**e**
tu	aim**es**
il/elle	aim**e**
nous	aim**ons**
vous	aim**ez**
ils/elles	aim**ent**

Futur simple

j'	aim**erai**
tu	aim**eras**
il/elle	aim**era**
nous	aim**erons**
vous	aim**erez**
ils/elles	aim**eront**

Impératif

Présent

aim**e**
aim**ons**
aim**ez**

Imparfait

j'	aim**ais**
tu	aim**ais**
il/elle	aim**ait**
nous	aim**ions**
vous	aim**iez**
ils/elles	aim**aient**

Conditionnel présent

j'	aim**erais**
tu	aim**erais**
il/elle	aim**erait**
nous	aim**erions**
vous	aim**eriez**
ils/elles	aim**eraient**

Subjonctif

Présent

que j'	aim**e**
que tu	aim**es**
qu' il/elle	aim**e**
que nous	aim**ions**
que vous	aim**iez**
qu' ils/elles	aim**ent**

Passé composé

j'	ai	aimé
tu	as	aimé
il/elle	a	aimé
nous	avons	aimé
vous	avez	aimé
ils/elles	ont	aimé

Passé simple

il/elle	aim**a**
ils/elles	aim**èrent**

Infinitif

Présent

aim**er**

Participe

Présent	Passé
aim**ant**	aim**é**
	aim**és**
	aim**ée**
	aim**ées**

3 • ALLER

Indicatif

Présent

je	v**ais**
tu	v**as**
il/elle	v**a**
nous	all**ons**
vous	all**ez**
ils/elles	v**ont**

Futur simple

j'	**irai**
tu	**iras**
il/elle	**ira**
nous	**irons**
vous	**irez**
ils/elles	**iront**

Imparfait

j'	all**ais**
tu	all**ais**
il/elle	all**ait**
nous	all**ions**
vous	all**iez**
ils/elles	all**aient**

Conditionnel présent

j'	**irais**
tu	**irais**
il/elle	**irait**
nous	**irions**
vous	**iriez**
ils/elles	**iraient**

Passé composé

je	suis	allé / allée
tu	es	allé / allée
il/elle	est	allé / allée
nous	sommes	allés / allées
vous	êtes	allés / allées
ils/elles	sont	allés / allées

Passé simple

il/elle	all**a**
ils/elles	all**èrent**

Impératif

Présent

v**a**
all**ons**
all**ez**

Subjonctif

Présent

que j'	aill**e**
que tu	aill**es**
qu' il/elle	aill**e**
que nous	all**ions**
que vous	all**iez**
qu' ils/elles	aill**ent**

Infinitif

Présent

all**er**

Participe

Présent

all**ant**

Passé

allé
allés
allée
allées

4 • APPELER

Indicatif

Présent

j'	appelle
tu	appelles
il/elle	appelle
nous	appelons
vous	appelez
ils/elles	appellent

Futur simple

j'	appellerai
tu	appelleras
il/elle	appellera
nous	appellerons
vous	appellerez
ils/elles	appelleront

Impératif

Présent

appelle
appelons
appelez

Imparfait

j'	appelais
tu	appelais
il/elle	appelait
nous	appelions
vous	appeliez
ils/elles	appelaient

Conditionnel présent

j'	appellerais
tu	appellerais
il/elle	appellerait
nous	appellerions
vous	appelleriez
ils/elles	appelleraient

Subjonctif

Présent

que j'	appelle
que tu	appelles
qu' il/elle	appelle
que nous	appelions
que vous	appeliez
qu' ils/elles	appellent

Passé composé

j'	ai	appelé
tu	as	appelé
il/elle	a	appelé
nous	avons	appelé
vous	avez	appelé
ils/elles	ont	appelé

Passé simple

| il/elle | appela |
| ils/elles | appelèrent |

Infinitif

Présent

appeler

Participe

Présent

appelant

Passé

appelé
appelés
appelée
appelées

5 • ASSEOIR

Indicatif

Présent

j'	asso**is**
tu	asso**is**
il/elle	asso**it**
nous	assoy**ons**
vous	assoy**ez**
ils/elles	asso**ient**

Futur simple

j'	assoi**rai**
tu	assoi**ras**
il/elle	assoi**ra**
nous	assoi**rons**
vous	assoi**rez**
ils/elles	assoi**ront**

Impératif

Présent

asso**is**
assoy**ons**
assoy**ez**

Imparfait

j'	assoy**ais**
tu	assoy**ais**
il/elle	assoy**ait**
nous	assoy**ions**
vous	assoy**iez**
ils/elles	assoy**aient**

Conditionnel présent

j'	assoi**rais**
tu	assoi**rais**
il/elle	assoi**rait**
nous	assoi**rions**
vous	assoi**riez**
ils/elles	assoi**raient**

Subjonctif

Présent

que j'	assoi**e**
que tu	assoi**es**
qu' il/elle	assoi**t**
que nous	assoy**ions**
que vous	assoy**iez**
qu' ils/elles	asso**ient**

Passé composé

j'	ai	assis
tu	as	assis
il/elle	a	assis
nous	avons	assis
vous	avez	assis
ils/elles	ont	assis

Passé simple

il/elle	ass**it**
ils/elles	ass**irent**

Infinitif

Présent

asse**oir**

Participe

Présent

assoy**ant**

Passé

assi**s**
assi**s**
assi**se**
assi**ses**

6 • AVOIR

Indicatif

Présent

j'	ai
tu	as
il/elle	a
nous	avons
vous	avez
ils/elles	ont

Futur simple

j'	au**rai**
tu	au**ras**
il/elle	au**ra**
nous	au**rons**
vous	au**rez**
ils/elles	au**ront**

Impératif

Présent

aie
ayons
ayez

Imparfait

j'	av**ais**
tu	av**ais**
il/elle	av**ait**
nous	av**ions**
vous	av**iez**
ils/elles	av**aient**

Conditionnel présent

j'	au**rais**
tu	au**rais**
il/elle	au**rait**
nous	au**rions**
vous	au**riez**
ils/elles	au**raient**

Subjonctif

Présent

que j'	aie
que tu	aies
qu' il/elle	ait
que nous	ayons
que vous	ayez
qu' ils/elles	aient

Passé composé

j'	ai	eu
tu	as	eu
il/elle	a	eu
nous	avons	eu
vous	avez	eu
ils/elles	ont	eu

Passé simple

| il/elle | eu**t** |
| ils/elles | eu**rent** |

Infinitif

Présent

av**oir**

Participe

Présent

ayant

Passé

eu
eus
eue
eues

7 • BATTRE

Indicatif

Présent

je	bat**s**
tu	bat**s**
il/elle	bat
nous	batt**ons**
vous	batt**ez**
ils/elles	batt**ent**

Futur simple

je	batt**rai**
tu	batt**ras**
il/elle	batt**ra**
nous	batt**rons**
vous	batt**rez**
ils/elles	batt**ront**

Impératif

Présent

bat**s**
batt**ons**
batt**ez**

Imparfait

je	batt**ais**
tu	batt**ais**
il/elle	batt**ait**
nous	batt**ions**
vous	batt**iez**
ils/elles	batt**aient**

Conditionnel présent

je	batt**rais**
tu	batt**rais**
il/elle	batt**rait**
nous	batt**rions**
vous	batt**riez**
ils/elles	batt**raient**

Subjonctif

Présent

que je	batt**e**
que tu	batt**es**
qu' il/elle	batt**e**
que nous	batt**ions**
que vous	batt**iez**
qu' ils/elles	batt**ent**

Passé composé

j'	ai	battu
tu	as	battu
il/elle	a	battu
nous	avons	battu
vous	avez	battu
ils/elles	ont	battu

Passé simple

il/elle	batt**it**
ils/elles	batt**irent**

Infinitif

Présent

batt**re**

Participe

Présent

batt**ant**

Passé

batt**u**
batt**us**
batt**ue**
batt**ues**

8 • BOIRE

Indicatif

Présent

je	bois
tu	bois
il/elle	boit
nous	buvons
vous	buvez
ils/elles	boivent

Futur simple

je	boirai
tu	boiras
il/elle	boira
nous	boirons
vous	boirez
ils/elles	boiront

Impératif

Présent

bois
buvons
buvez

Imparfait

je	buvais
tu	buvais
il/elle	buvait
nous	buvions
vous	buviez
ils/elles	buvaient

Conditionnel présent

je	boirais
tu	boirais
il/elle	boirait
nous	boirions
vous	boiriez
ils/elles	boiraient

Subjonctif

Présent

que	je	boive
que	tu	boives
qu'	il/elle	boive
que	nous	buvions
que	vous	buviez
qu'	ils/elles	boivent

Infinitif

Présent

boire

Passé composé

j'	ai	bu
tu	as	bu
il/elle	a	bu
nous	avons	bu
vous	avez	bu
ils/elles	ont	bu

Passé simple

il/elle	but
ils/elles	burent

Participe

Présent

buvant

Passé

bu
bus
bue
bues

9 • BOUGER

Indicatif

Présent

je	bouge
tu	bouges
il/elle	bouge
nous	bougeons
vous	bougez
ils/elles	bougent

Futur simple

je	bougerai
tu	bougeras
il/elle	bougera
nous	bougerons
vous	bougerez
ils/elles	bougeront

Impératif

Présent

bouge
bougeons
bougez

Imparfait

je	bougeais
tu	bougeais
il/elle	bougeait
nous	bougions
vous	bougiez
ils/elles	bougeaient

Conditionnel présent

je	bougerais
tu	bougerais
il/elle	bougerait
nous	bougerions
vous	bougeriez
ils/elles	bougeraient

Subjonctif

Présent

que	je	bouge
que	tu	bouges
qu'	il/elle	bouge
que	nous	bougions
que	vous	bougiez
qu'	ils/elles	bougent

Infinitif

Présent

bouger

Passé composé

j'	ai	bougé
tu	as	bougé
il/elle	a	bougé
nous	avons	bougé
vous	avez	bougé
ils/elles	ont	bougé

Passé simple

il/elle	bougea
ils/elles	bougèrent

Participe

Présent

bougeant

Passé

bougé
bougés
bougée
bougées

10 • BOUILLIR

Indicatif

Présent

je	bous
tu	bous
il/elle	bout
nous	bouillons
vous	bouillez
ils/elles	bouillent

Futur simple

je	bouillirai
tu	bouilliras
il/elle	bouillira
nous	bouillirons
vous	bouillirez
ils/elles	bouilliront

Imparfait

je	bouillais
tu	bouillais
il/elle	bouillait
nous	bouillions
vous	bouilliez
ils/elles	bouillaient

Conditionnel présent

je	bouillirais
tu	bouillirais
il/elle	bouillirait
nous	bouillirions
vous	bouilliriez
ils/elles	bouilliraient

Passé composé

j'	ai	bouilli
tu	as	bouilli
il/elle	a	bouilli
nous	avons	bouilli
vous	avez	bouilli
ils/elles	ont	bouilli

Passé simple

il/elle	bouillit
ils/elles	bouillirent

Impératif

Présent

bous
bouillons
bouillez

Subjonctif

Présent

que je	bouille
que tu	bouilles
qu' il/elle	bouille
que nous	bouillions
que vous	bouilliez
qu' ils/elles	bouillent

Infinitif

Présent

bouillir

Participe

Présent

bouillant

Passé

bouilli
bouillis
bouillie
bouillies

110

11 • CONDUIRE

Indicatif

Présent

je	conduis
tu	conduis
il/elle	conduit
nous	conduisons
vous	conduisez
ils/elles	conduisent

Futur simple

je	conduirai
tu	conduiras
il/elle	conduira
nous	conduirons
vous	conduirez
ils/elles	conduiront

Impératif

Présent

conduis
conduisons
conduisez

Imparfait

je	conduisais
tu	conduisais
il/elle	conduisait
nous	conduisions
vous	conduisiez
ils/elles	conduisaient

Conditionnel présent

je	conduirais
tu	conduirais
il/elle	conduirait
nous	conduirions
vous	conduiriez
ils/elles	conduiraient

Subjonctif

Présent

que je	conduise
que tu	conduises
qu' il/elle	conduise
que nous	conduisions
que vous	conduisiez
qu' ils/elles	conduisent

Passé composé

j'	ai	conduit
tu	as	conduit
il/elle	a	conduit
nous	avons	conduit
vous	avez	conduit
ils/elles	ont	conduit

Passé simple

il/elle	conduisit
ils/elles	conduisirent

Infinitif

Présent

conduire

Participe

Présent

conduisant

Passé

conduit
conduits
conduite
conduites

12 • CONNAÎTRE

Indicatif

Présent

je	connais
tu	connais
il/elle	connaît
nous	connaissons
vous	connaissez
ils/elles	connaissent

Futur simple

je	connaîtrai
tu	connaîtras
il/elle	connaîtra
nous	connaîtrons
vous	connaîtrez
ils/elles	connaîtront

Impératif

Présent

connais
connaissons
connaissez

Imparfait

je	connaissais
tu	connaissais
il/elle	connaissait
nous	connaissions
vous	connaissiez
ils/elles	connaissaient

Conditionnel présent

je	connaîtrais
tu	connaîtrais
il/elle	connaîtrait
nous	connaîtrions
vous	connaîtriez
ils/elles	connaîtraient

Subjonctif

Présent

que	je	connaisse
que	tu	connaisses
qu'	il/elle	connaisse
que	nous	connaissions
que	vous	connaissiez
qu'	ils/elles	connaissent

Passé composé

j'	ai	connu
tu	as	connu
il/elle	a	connu
nous	avons	connu
vous	avez	connu
ils/elles	ont	connu

Passé simple

il/elle	connut
ils/elles	connurent

Infinitif

Présent

connaître

Participe

Présent

connaissant

Passé

connu
connus
connue
connues

13 • COUDRE

Indicatif

Présent

je	cou**ds**
tu	cou**ds**
il/elle	coud
nous	cous**ons**
vous	cous**ez**
ils/elles	cous**ent**

Futur simple

je	coud**rai**
tu	coud**ras**
il/elle	coud**ra**
nous	coud**rons**
vous	coud**rez**
ils/elles	coud**ront**

Impératif

Présent

cou**ds**	
cous**ons**	
cous**ez**	

Imparfait

je	cous**ais**
tu	cous**ais**
il/elle	cous**ait**
nous	cous**ions**
vous	cous**iez**
ils/elles	cous**aient**

Conditionnel présent

je	coud**rais**
tu	coud**rais**
il/elle	coud**rait**
nous	coud**rions**
vous	coud**riez**
ils/elles	coud**raient**

Subjonctif

Présent

que je	cous**e**
que tu	cous**es**
qu' il/elle	cous**e**
que nous	cous**ions**
que vous	cous**iez**
qu' ils/elles	cous**ent**

Infinitif

Présent

coud**re**

Passé composé

j'	ai	cousu
tu	as	cousu
il/elle	a	cousu
nous	avons	cousu
vous	avez	cousu
ils/elles	ont	cousu

Passé simple

il/elle	cous**it**
ils/elles	cous**irent**

Participe

Présent

cous**ant**

Passé

cous**u**
cous**us**
cous**ue**
cous**ues**

14 • COURIR

Indicatif

Présent
je	cours
tu	cours
il/elle	court
nous	courons
vous	courez
ils/elles	courent

Futur simple
j'	courrai
tu	courras
il/elle	courra
nous	courrons
vous	courrez
ils/elles	courront

Impératif

Présent
cours
courons
courez

Imparfait
je	courais
tu	courais
il/elle	courait
nous	courions
vous	couriez
ils/elles	couraient

Conditionnel présent
j'	courrais
tu	courrais
il/elle	courrait
nous	courrions
vous	courriez
ils/elles	courraient

Subjonctif

Présent
que je	coure
que tu	coures
qu' il/elle	coure
que nous	courions
que vous	couriez
qu' ils/elles	courent

Passé composé
j'	ai	couru
tu	as	couru
il/elle	a	couru
nous	avons	couru
vous	avez	couru
ils/elles	ont	couru

Passé simple
il/elle	courut
ils/elles	coururent

Infinitif

Présent
courir

Participe

Présent
courant

Passé
couru
courus
courue
courues

15 • CRAINDRE

Indicatif

Présent

je	crain**s**
tu	crain**s**
il/elle	crain**t**
nous	craign**ons**
vous	craign**ez**
ils/elles	craign**ent**

Futur simple

je	craind**rai**
tu	craind**ras**
il/elle	craind**ra**
nous	craind**rons**
vous	craind**rez**
ils/elles	craind**ront**

Impératif

Présent

crain**s**
craign**ons**
craign**ez**

Imparfait

je	craign**ais**
tu	craign**ais**
il/elle	craign**ait**
nous	craign**ions**
vous	craign**iez**
ils/elles	craign**aient**

Conditionnel présent

je	craind**rais**
tu	craind**rais**
il/elle	craind**rait**
nous	craind**rions**
vous	craind**riez**
ils/elles	craind**raient**

Subjonctif

Présent

que je	craign**e**
que tu	craign**es**
qu' il/elle	craign**e**
que nous	craign**ions**
que vous	craign**iez**
qu' ils/elles	craign**ent**

Infinitif

Présent

craind**re**

Passé composé

j'	ai	craint
tu	as	craint
il/elle	a	craint
nous	avons	craint
vous	avez	craint
ils/elles	ont	craint

Passé simple

il/elle	craign**it**
ils/elles	craign**irent**

Participe

Présent

craign**ant**

Passé

crain**t**
crain**ts**
crain**te**
crain**tes**

16 • CROIRE

Indicatif

Présent

je	crois
tu	crois
il/elle	croit
nous	croyons
vous	croyez
ils/elles	croient

Futur simple

je	croirai
tu	croiras
il/elle	croira
nous	croirons
vous	croirez
ils/elles	croiront

Impératif

Présent

crois
croyons
croyez

Imparfait

je	croyais
tu	croyais
il/elle	croyait
nous	croyions
vous	croyiez
ils/elles	croyaient

Conditionnel présent

je	croirais
tu	croirais
il/elle	croirait
nous	croirions
vous	croiriez
ils/elles	croiraient

Subjonctif

Présent

que	je	croie
que	tu	croies
qu'	il/elle	croie
que	nous	croyions
que	vous	croyiez
qu'	ils/elles	croient

Passé composé

j'	ai	cru
tu	as	cru
il/elle	a	cru
nous	avons	cru
vous	avez	cru
ils/elles	ont	cru

Passé simple

il/elle	crut
ils/elles	crurent

Infinitif

Présent

croire

Participe

Présent

croyant

Passé

cru
crus
crue
crues

17 • CUEILLIR

Indicatif

Présent

je	cueille
tu	cueilles
il/elle	cueille
nous	cueillons
vous	cueillez
ils/elles	cueillent

Futur simple

je	cueillerai
tu	cueilleras
il/elle	cueillera
nous	cueillerons
vous	cueillerez
ils/elles	cueilleront

Impératif

Présent

cueille
cueillons
cueillez

Imparfait

je	cueillais
tu	cueillais
il/elle	cueillait
nous	cueillions
vous	cueilliez
ils/elles	cueillaient

Conditionnel présent

je	cueillerais
tu	cueillerais
il/elle	cueillerait
nous	cueillerions
vous	cueilleriez
ils/elles	cueilleraient

Subjonctif

Présent

que	je	cueille
que	tu	cueilles
qu'	il/elle	cueille
que	nous	cueillions
que	vous	cueilliez
qu'	ils/elles	cueillent

Passé composé

j'	ai	cueilli
tu	as	cueilli
il/elle	a	cueilli
nous	avons	cueilli
vous	avez	cueilli
ils/elles	ont	cueilli

Passé simple

il/elle	cueillit
ils/elles	cueillirent

Infinitif

Présent

cueillir

Participe

Présent

cueillant

Passé

cueilli
cueillis
cueillie
cueillies

18 • DEVOIR

Indicatif

Présent

je	dois
tu	dois
il/elle	doit
nous	devons
vous	devez
ils/elles	doivent

Futur simple

je	devrai
tu	devras
il/elle	devra
nous	devrons
vous	devrez
ils/elles	devront

Impératif

Présent

dois
devons
devez

Imparfait

je	devais
tu	devais
il/elle	devait
nous	devions
vous	deviez
ils/elles	devaient

Conditionnel présent

je	devrais
tu	devrais
il/elle	devrait
nous	devrions
vous	devriez
ils/elles	devraient

Subjonctif

Présent

que je	doive
que tu	doives
qu' il/elle	doive
que nous	devions
que vous	deviez
qu' ils/elles	doivent

Passé composé

j'	ai	dû
tu	as	dû
il/elle	a	dû
nous	avons	dû
vous	avez	dû
ils/elles	ont	dû

Passé simple

il/elle	dut
ils/elles	durent

Infinitif

Présent

devoir

Participe

Présent | Passé

	dû
	dus
	due
	dues

19 • DIRE

Indicatif

Présent

je	dis
tu	dis
il/elle	dit
nous	disons
vous	dites
ils/elles	disent

Futur simple

je	dirai
tu	diras
il/elle	dira
nous	dirons
vous	direz
ils/elles	diront

Imparfait

je	disais
tu	disais
il/elle	disait
nous	disions
vous	disiez
ils/elles	disaient

Conditionnel présent

je	dirais
tu	dirais
il/elle	dirait
nous	dirions
vous	diriez
ils/elles	diraient

Passé composé

j'	ai	dit
tu	as	dit
il/elle	a	dit
nous	avons	dit
vous	avez	dit
ils/elles	ont	dit

Passé simple

| il/elle | dit |
| ils/elles | dirent |

Impératif

Présent

dis
disons
dites

Subjonctif

Présent

que je	dise
que tu	dises
qu' il/elle	dise
que nous	disions
que vous	disiez
qu' ils/elles	disent

Infinitif

Présent

dire

Participe

Présent

disant

Passé

dit
dits
dite
dites

119

20 • DORMIR

Indicatif

Présent

je	dor**s**
tu	dor**s**
il/elle	dor**t**
nous	dorm**ons**
vous	dorm**ez**
ils/elles	dorm**ent**

Futur simple

je	dormi**rai**
tu	dormi**ras**
il/elle	dormi**ra**
nous	dormi**rons**
vous	dormi**rez**
ils/elles	dormi**ront**

Impératif

Présent

| dor**s** |
| dorm**ons** |
| dorm**ez** |

Imparfait

je	dorm**ais**
tu	dorm**ais**
il/elle	dorm**ait**
nous	dorm**ions**
vous	dorm**iez**
ils/elles	dorm**aient**

Conditionnel présent

je	dormi**rais**
tu	dormi**rais**
il/elle	dormi**rait**
nous	dormi**rions**
vous	dormi**riez**
ils/elles	dormi**raient**

Subjonctif

Présent

que	je	dorm**e**
que	tu	dorm**es**
qu'	il/elle	dorm**e**
que	nous	dorm**ions**
que	vous	dorm**iez**
qu'	ils/elles	dorm**ent**

Passé composé

j'	ai	dormi
tu	as	dormi
il/elle	a	dormi
nous	avons	dormi
vous	avez	dormi
ils/elles	ont	dormi

Passé simple

| il/elle | dorm**it** |
| ils/elles | dorm**irent** |

Infinitif

Présent

dormi**r**

Participe

Présent

dorm**ant**

Passé

dorm**i**

ATTENTION !
Le participe passé du verbe *dormir* est invariable.

21 • ÉCRIRE

Indicatif

Présent

j'	écris
tu	écris
il/elle	écrit
nous	écrivons
vous	écrivez
ils/elles	écrivent

Futur simple

j'	écrirai
tu	écriras
il/elle	écrira
nous	écrirons
vous	écrirez
ils/elles	écriront

Impératif

Présent

écris
écrivons
écrivez

Imparfait

j'	écrivais
tu	écrivais
il/elle	écrivait
nous	écrivions
vous	écriviez
ils/elles	écrivaient

Conditionnel présent

j'	écrirais
tu	écrirais
il/elle	écrirait
nous	écririons
vous	écririez
ils/elles	écriraient

Subjonctif

Présent

que	j'	écrive
que	tu	écrives
qu'	il/elle	écrive
que	nous	écrivions
que	vous	écriviez
qu'	ils/elles	écrivent

Infinitif

Présent

écrire

Passé composé

j'	ai	écrit
tu	as	écrit
il/elle	a	écrit
nous	avons	écrit
vous	avez	écrit
ils/elles	ont	écrit

Passé simple

il/elle	écrivit
ils/elles	écrivirent

Participe

Présent

écrivant

Passé

écrit
écrits
écrite
écrites

22 • ENVOYER

Indicatif

Présent

j'	envoie
tu	envoies
il/elle	envoie
nous	envoyons
vous	envoyez
ils/elles	envoient

Futur simple

j'	enverrai
tu	enverras
il/elle	enverra
nous	enverrons
vous	enverrez
ils/elles	enverront

Impératif

Présent

envoie
envoyons
envoyez

Imparfait

j'	envoyais
tu	envoyais
il/elle	envoyait
nous	envoyions
vous	envoyiez
ils/elles	envoyaient

Conditionnel présent

j'	enverrais
tu	enverrais
il/elle	enverrait
nous	enverrions
vous	enverriez
ils/elles	enverraient

Subjonctif

Présent

que j'	envoie
que tu	envoies
qu' il/elle	envoie
que nous	envoyions
que vous	envoyiez
qu' ils/elles	envoient

Infinitif

Présent

envoyer

Passé composé

j'	ai	envoyé
tu	as	envoyé
il/elle	a	envoyé
nous	avons	envoyé
vous	avez	envoyé
ils/elles	ont	envoyé

Passé simple

il/elle	envoya
ils/elles	envoyèrent

Participe

Présent

envoyant

Passé

envoyé
envoyés
envoyée
envoyées

23 • ÊTRE

Indicatif

Présent

je	suis
tu	es
il/elle	est
nous	sommes
vous	êtes
ils/elles	sont

Futur simple

je	se**rai**
tu	se**ras**
il/elle	se**ra**
nous	se**rons**
vous	se**rez**
ils/elles	se**ront**

Impératif

Présent

	sois
	soyons
	soyez

Imparfait

j'	ét**ais**
tu	ét**ais**
il/elle	ét**ait**
nous	ét**ions**
vous	ét**iez**
ils/elles	ét**aient**

Conditionnel présent

je	se**rais**
tu	se**rais**
il/elle	se**rait**
nous	se**rions**
vous	se**riez**
ils/elles	se**raient**

Subjonctif

Présent

que je	sois
que tu	sois
qu' il/elle	soit
que nous	soyons
que vous	soyez
qu' ils/elles	soient

Infinitif

Présent

ê**tre**

Passé composé

j'	ai	été
tu	as	été
il/elle	a	été
nous	avons	été
vous	avez	été
ils/elles	ont	été

Passé simple

| il/elle | fut |
| ils/elles | furent |

Participe

Présent | ### Passé

ét**ant**   été

ATTENTION!
Le participe passé du verbe *être*
est invariable.

24 • FAIRE

Indicatif

Présent

je	fais
tu	fais
il/elle	fait
nous	faisons
vous	faites
ils/elles	font

Futur simple

je	ferai
tu	feras
il/elle	fera
nous	ferons
vous	ferez
ils/elles	feront

Impératif

Présent

fais
faisons
faites

Imparfait

je	faisais
tu	faisais
il/elle	faisait
nous	faisions
vous	faisiez
ils/elles	faisaient

Conditionnel présent

je	ferais
tu	ferais
il/elle	ferait
nous	ferions
vous	feriez
ils/elles	feraient

Subjonctif

Présent

que je	fasse
que tu	fasses
qu' il/elle	fasse
que nous	fassions
que vous	fassiez
qu' ils/elles	fassent

Passé composé

j'	ai	fait
tu	as	fait
il/elle	a	fait
nous	avons	fait
vous	avez	fait
ils/elles	ont	fait

Passé simple

| il/elle | fit |
| ils/elles | firent |

Infinitif

Présent

faire

Participe

Présent

faisant

Passé

fait
faits
faite
faites

25 • FALLOIR

Indicatif

Présent	Futur simple
il faut	il faudra

Impératif

Présent

aucun

Imparfait	Conditionnel présent
il fall**ait**	il faud**rait**

Subjonctif

Présent

qu' il faill**e**

Passé composé	Passé simple
il a fallu	il fall**ut**

Infinitif

Présent

fall**oir**

ATTENTION !

Le verbe *falloir* se conjugue seulement à la 3ᵉ personne du singulier, et au masculin seulement.
Son participe passé est invariable.

Participe

Présent	Passé
aucun	fallu

26 • FINIR

Indicatif

Présent

je	fini**s**
tu	fini**s**
il/elle	fini**t**
nous	finiss**ons**
vous	finiss**ez**
ils/elles	finiss**ent**

Futur simple

je	fini**rai**
tu	fini**ras**
il/elle	fini**ra**
nous	fini**rons**
vous	fini**rez**
ils/elles	fini**ront**

Impératif

Présent

fini**s**
finiss**ons**
finiss**ez**

Imparfait

je	finiss**ais**
tu	finiss**ais**
il/elle	finiss**ait**
nous	finiss**ions**
vous	finiss**iez**
ils/elles	finiss**aient**

Conditionnel présent

je	fini**rais**
tu	fini**rais**
il/elle	fini**rait**
nous	fini**rions**
vous	fini**riez**
ils/elles	fini**raient**

Subjonctif

Présent

que	je	finiss**e**
que	tu	finiss**es**
qu'	il/elle	finiss**e**
que	nous	finiss**ions**
que	vous	finiss**iez**
qu'	ils/elles	finiss**ent**

Passé composé

j'	ai	fini
tu	as	fini
il/elle	a	fini
nous	avons	fini
vous	avez	fini
ils/elles	ont	fini

Passé simple

il/elle	fini**t**
ils/elles	fini**rent**

Infinitif

Présent

fini**r**

Participe

Présent

finiss**ant**

Passé

fini
fini**s**
fini**e**
fini**es**

27 • FUIR

Indicatif

Présent

je	fuis
tu	fuis
il/elle	fuit
nous	fuyons
vous	fuyez
ils/elles	fuient

Futur simple

je	fuirai
tu	fuiras
il/elle	fuira
nous	fuirons
vous	fuirez
ils/elles	fuiront

Imparfait

je	fuyais
tu	fuyais
il/elle	fuyait
nous	fuyions
vous	fuyiez
ils/elles	fuyaient

Conditionnel présent

je	fuirais
tu	fuirais
il/elle	fuirait
nous	fuirions
vous	fuiriez
ils/elles	fuiraient

Passé composé

j'	ai	fui
tu	as	fui
il/elle	a	fui
nous	avons	fui
vous	avez	fui
ils/elles	ont	fui

Passé simple

| il/elle | fuit |
| ils/elles | fuirent |

Impératif

Présent

fuis
fuyons
fuyez

Subjonctif

Présent

que je	fuie
que tu	fuies
qu' il/elle	fuie
que nous	fuyions
que vous	fuyiez
qu' ils/elles	fuient

Infinitif

Présent

fuir

Participe

Présent

fuyant

Passé

fui
fuis
fuie
fuies

127

28 • GELER

Indicatif

Présent

je	gèle
tu	gèles
il/elle	gèle
nous	gelons
vous	gelez
ils/elles	gèlent

Futur simple

je	gèlerai
tu	gèleras
il/elle	gèlera
nous	gèlerons
vous	gèlerez
ils/elles	gèleront

Impératif

Présent

gèle
gelons
gelez

Imparfait

je	gelais
tu	gelais
il/elle	gelait
nous	gelions
vous	geliez
ils/elles	gelaient

Conditionnel présent

je	gèlerais
tu	gèlerais
il/elle	gèlerait
nous	gèlerions
vous	gèleriez
ils/elles	gèleraient

Subjonctif

Présent

que je	gèle
que tu	gèles
qu' il/elle	gèle
que nous	gelions
que vous	geliez
qu' ils/elles	gèlent

Passé composé

j'	ai	gelé
tu	as	gelé
il/elle	a	gelé
nous	avons	gelé
vous	avez	gelé
ils/elles	ont	gelé

Passé simple

il/elle	gela
ils/elles	gelèrent

Infinitif

Présent

geler

Participe

Présent

gelant

Passé

gelé
gelés
gelée
gelées

H

29 • HAÏR

Indicatif

Présent

je	hais
tu	hais
il/elle	hait
nous	haïssons
vous	haïssez
ils/elles	haïssent

Futur simple

je	haïrai
tu	haïras
il/elle	haïra
nous	haïrons
vous	haïrez
ils/elles	haïront

Impératif

Présent

hais
haïssons
haïssez

Imparfait

je	haïssais
tu	haïssais
il/elle	haïssait
nous	haïssions
vous	haïssiez
ils/elles	haïssaient

Conditionnel présent

je	haïrais
tu	haïrais
il/elle	haïrait
nous	haïrions
vous	haïriez
ils/elles	haïraient

Subjonctif

Présent

que je	haïsse
que tu	haïsses
qu' il/elle	haïsse
que nous	haïssions
que vous	haïssiez
qu' ils/elles	haïssent

Passé composé

j'	ai	haï
tu	as	haï
il/elle	a	haï
nous	avons	haï
vous	avez	haï
ils/elles	ont	haï

Passé simple

| il/elle | haït |
| ils/elles | haïrent |

Infinitif

Présent

haïr

Participe

Présent

haïssant

Passé

haï
haïs
haïe
haïes

30 • JETER

Indicatif

Présent

je	jett**e**
tu	jett**es**
il/elle	jett**e**
nous	jet**ons**
vous	jet**ez**
ils/elles	jett**ent**

Futur simple

je	jett**erai**
tu	jett**eras**
il/elle	jett**era**
nous	jett**erons**
vous	jett**erez**
ils/elles	jett**eront**

Impératif

Présent

jett**e**
jet**ons**
jet**ez**

Imparfait

je	jet**ais**
tu	jet**ais**
il/elle	jet**ait**
nous	jet**ions**
vous	jet**iez**
ils/elles	jet**aient**

Conditionnel présent

je	jett**erais**
tu	jett**erais**
il/elle	jett**erait**
nous	jett**erions**
vous	jett**eriez**
ils/elles	jett**eraient**

Subjonctif

Présent

que	je	jett**e**
que	tu	jett**es**
qu'	il/elle	jett**e**
que	nous	jet**ions**
que	vous	jet**iez**
qu'	ils/elles	jett**ent**

Passé composé

j'	ai	jeté
tu	as	jeté
il/elle	a	jeté
nous	avons	jeté
vous	avez	jeté
ils/elles	ont	jeté

Passé simple

il/elle	jet**a**
ils/elles	jet**èrent**

Infinitif

Présent

jet**er**

Participe

Présent

jet**ant**

Passé

jet**é**
jet**és**
jet**ée**
jet**ées**

31 • LIRE

Indicatif

Présent

je	lis
tu	lis
il/elle	lit
nous	lisons
vous	lisez
ils/elles	lisent

Futur simple

je	lirai
tu	liras
il/elle	lira
nous	lirons
vous	lirez
ils/elles	liront

Impératif

Présent

lis
lisons
lisez

Imparfait

je	lisais
tu	lisais
il/elle	lisait
nous	lisions
vous	lisiez
ils/elles	lisaient

Conditionnel présent

je	lirais
tu	lirais
il/elle	lirait
nous	lirions
vous	liriez
ils/elles	liraient

Subjonctif

Présent

que	je	lise
que	tu	lises
qu'	il/elle	lise
que	nous	lisions
que	vous	lisiez
qu'	ils/elles	lisent

Passé composé

j'	ai	lu
tu	as	lu
il/elle	a	lu
nous	avons	lu
vous	avez	lu
ils/elles	ont	lu

Passé simple

il/elle	lut
ils/elles	lurent

Infinitif

Présent

lire

Participe

Présent

lisant

Passé

lu
lus
lue
lues

32 • METTRE

Indicatif		Impératif

Indicatif

Présent

je	mets
tu	mets
il/elle	met
nous	mettons
vous	mettez
ils/elles	mettent

Futur simple

je	mettrai
tu	mettras
il/elle	mettra
nous	mettrons
vous	mettrez
ils/elles	mettront

Impératif

Présent

mets
mettons
mettez

Imparfait

je	mettais
tu	mettais
il/elle	mettait
nous	mettions
vous	mettiez
ils/elles	mettaient

Conditionnel présent

je	mettrais
tu	mettrais
il/elle	mettrait
nous	mettrions
vous	mettriez
ils/elles	mettraient

Subjonctif

Présent

que je	mette
que tu	mettes
qu' il/elle	mette
que nous	mettions
que vous	mettiez
qu' ils/elles	mettent

Passé composé

j'	ai	mis
tu	as	mis
il/elle	a	mis
nous	avons	mis
vous	avez	mis
ils/elles	ont	mis

Passé simple

il/elle	mit
ils/elles	mirent

Infinitif

Présent

mettre

Participe

Présent

mettant

Passé

mis
mis
mise
mises

33 • MOURIR

Indicatif

Présent

je	meurs
tu	meurs
il/elle	meurt
nous	mourons
vous	mourez
ils/elles	meurent

Futur simple

je	mourrai
tu	mourras
il/elle	mourra
nous	mourrons
vous	mourrez
ils/elles	mourront

Imparfait

je	mourais
tu	mourais
il/elle	mourait
nous	mourions
vous	mouriez
ils/elles	mouraient

Conditionnel présent

je	mourrais
tu	mourrais
il/elle	mourrait
nous	mourrions
vous	mourriez
ils/elles	mourraient

Passé composé

je	suis	mort/morte
tu	es	mort/morte
il/elle	est	mort/morte
nous	sommes	morts/mortes
vous	êtes	morts/mortes
ils/elles	sont	morts/mortes

Passé simple

il/elle	mourut
ils/elles	moururent

Impératif

Présent

meurs
mourons
mourez

Subjonctif

Présent

que je	meure
que tu	meures
qu' il/elle	meure
que nous	mourions
que vous	mouriez
qu' ils/elles	meurent

Infinitif

Présent

mourir

Participe

Présent

mourant

Passé

mort
morts
morte
mortes

N

34 • NAÎTRE

Indicatif

Présent

je	nais
tu	nais
il/elle	naît
nous	naissons
vous	naissez
ils/elles	naissent

Futur simple

je	naîtrai
tu	naîtras
il/elle	naîtra
nous	naîtrons
vous	naîtrez
ils/elles	naîtront

Imparfait

je	naissais
tu	naissais
il/elle	naissait
nous	naissions
vous	naissiez
ils/elles	naissaient

Conditionnel présent

je	naîtrais
tu	naîtrais
il/elle	naîtrait
nous	naîtrions
vous	naîtriez
ils/elles	naîtraient

Passé composé

je	suis	né/née
tu	es	né/née
il/elle	est	né/née
nous	sommes	nés/nées
vous	êtes	nés/nées
ils/elles	sont	nés/nées

Passé simple

il/elle	naquit
ils/elles	naquirent

Impératif

Présent

nais
naissons
naissez

Subjonctif

Présent

que je	naisse
que tu	naisses
qu' il/elle	naisse
que nous	naissions
que vous	naissiez
qu' ils/elles	naissent

Infinitif

Présent

naître

Participe

Présent

naissant

Passé

né
nés
née
nées

35 • NETTOYER

Indicatif

Présent

je	nettoie
tu	nettoies
il/elle	nettoie
nous	nettoyons
vous	nettoyez
ils/elles	nettoient

Futur simple

je	nettoierai
tu	nettoieras
il/elle	nettoiera
nous	nettoierons
vous	nettoierez
ils/elles	nettoieront

Impératif

Présent

nettoie
nettoyons
nettoyez

Imparfait

je	nettoyais
tu	nettoyais
il/elle	nettoyait
nous	nettoyions
vous	nettoyiez
ils/elles	nettoyaient

Conditionnel présent

je	nettoierais
tu	nettoierais
il/elle	nettoierait
nous	nettoierions
vous	nettoieriez
ils/elles	nettoieraient

Subjonctif

Présent

que j'	nettoie
que tu	nettoies
qu' il/elle	nettoie
que nous	nettoyions
que vous	nettoyiez
qu' ils/elles	nettoient

Passé composé

j'	ai	nettoyé
tu	as	nettoyé
il/elle	a	nettoyé
nous	avons	nettoyé
vous	avez	nettoyé
ils/elles	ont	nettoyé

Passé simple

il/elle	nettoya
ils/elles	nettoyèrent

Infinitif

Présent

nettoyer

Participe

Présent

nettoyant

Passé

nettoyé
nettoyés
nettoyée
nettoyées

36 • OUVRIR

Indicatif

Présent

j'	ouvre
tu	ouvres
il/elle	ouvre
nous	ouvrons
vous	ouvrez
ils/elles	ouvrent

Futur simple

j'	ouvrirai
tu	ouvriras
il/elle	ouvrira
nous	ouvrirons
vous	ouvrirez
ils/elles	ouvriront

Imparfait

j'	ouvrais
tu	ouvrais
il/elle	ouvrait
nous	ouvrions
vous	ouvriez
ils/elles	ouvraient

Conditionnel présent

j'	ouvrirais
tu	ouvrirais
il/elle	ouvrirait
nous	ouvririons
vous	ouvririez
ils/elles	ouvriraient

Passé composé

j'	ai	ouvert
tu	as	ouvert
il/elle	a	ouvert
nous	avons	ouvert
vous	avez	ouvert
ils/elles	ont	ouvert

Passé simple

il/elle	ouvrit
ils/elles	ouvrirent

Impératif

Présent

ouvre
ouvrons
ouvrez

Subjonctif

Présent

que j'	ouvre
que tu	ouvres
qu' il/elle	ouvre
que nous	ouvrions
que vous	ouvriez
qu' ils/elles	ouvrent

Infinitif

Présent

ouvrir

Participe

Présent

ouvrant

Passé

ouvert
ouverts
ouverte
ouvertes

37 • PARTIR

Indicatif

Présent

je	pars
tu	pars
il/elle	part
nous	partons
vous	partez
ils/elles	partent

Futur simple

je	partirai
tu	partiras
il/elle	partira
nous	partirons
vous	partirez
ils/elles	partiront

Impératif

Présent

	pars
	partons
	partez

Imparfait

je	partais
tu	partais
il/elle	partait
nous	partions
vous	partiez
ils/elles	partaient

Conditionnel présent

je	partirais
tu	partirais
il/elle	partirait
nous	partirions
vous	partiriez
ils/elles	partiraient

Subjonctif

Présent

que	je	parte
que	tu	partes
qu'	il/elle	parte
que	nous	partions
que	vous	partiez
qu'	ils/elles	partent

Passé composé

je	suis	parti/partie
tu	es	parti/partie
il/elle	est	parti/partie
nous	sommes	partis/parties
vous	êtes	partis/parties
ils/elles	sont	partis/parties

Passé simple

| il/elle | partit |
| ils/elles | partirent |

Infinitif

Présent

partir

Participe

Présent

partant

Passé

parti
partis
partie
parties

38 • PAYER

Indicatif

Présent

je	paie/paye
tu	paies/payes
il/elle	paie/paye
nous	payons
vous	payez
ils/elles	paient/payent

Futur simple

je	paierai/payerai
tu	paieras/payeras
il/elle	paiera/payera
nous	paierons/payerons
vous	paierez/payerez
ils/elles	paieront/payeront

Impératif

Présent

paie/paye
payons
payez

Imparfait

je	payais
tu	payais
il/elle	payait
nous	payions
vous	payiez
ils/elles	payaient

Conditionnel présent

je	paierais/payerais
tu	paierais/payerais
il/elle	paierait/payerait
nous	paierions/payerions
vous	paieriez/payeriez
ils/elles	paieraient/payeraient

Subjonctif

Présent

que	je	paie/paye
que	tu	paies/payes
qu'	il/elle	paie/paye
que	nous	payions
que	vous	payiez
qu'	ils/elles	paient/payent

Passé composé

j'	ai	payé
tu	as	payé
il/elle	a	payé
nous	avons	payé
vous	avez	payé
ils/elles	ont	payé

Passé simple

il/elle	paya
ils/elles	payèrent

Infinitif

Présent

payer

Participe

Présent	Passé
payant	payé
	payés
	payée
	payées

39 • PEINDRE

Indicatif

Présent

je	pein**s**
tu	pein**s**
il/elle	pein**t**
nous	peign**ons**
vous	peign**ez**
ils/elles	peign**ent**

Futur simple

je	peind**rai**
tu	peind**ras**
il/elle	peind**ra**
nous	peind**rons**
vous	peind**rez**
ils/elles	peind**ront**

Imparfait

je	peign**ais**
tu	peign**ais**
il/elle	peign**ait**
nous	peign**ions**
vous	peign**iez**
ils/elles	peign**aient**

Conditionnel présent

je	peind**rais**
tu	peind**rais**
il/elle	peind**rait**
nous	peind**rions**
vous	peind**riez**
ils/elles	peind**raient**

Passé composé

j'	ai	peint
tu	as	peint
il/elle	a	peint
nous	avons	peint
vous	avez	peint
ils/elles	ont	peint

Passé simple

il/elle	peign**it**
ils/elles	peign**irent**

Impératif

Présent

pein**s**
peign**ons**
peign**ez**

Subjonctif

Présent

que je	peign**e**
que tu	peign**es**
qu' il/elle	peign**e**
que nous	peign**ions**
que vous	peign**iez**
qu' ils/elles	peign**ent**

Infinitif

Présent

peind**re**

Participe

Présent

peign**ant**

Passé

pein**t**
pein**ts**
pein**te**
pein**tes**

40 • PLACER

Indicatif

Présent

je	plac**e**
tu	plac**es**
il/elle	plac**e**
nous	pla**çons**
vous	plac**ez**
ils/elles	plac**ent**

Futur simple

je	plac**erai**
tu	plac**eras**
il/elle	plac**era**
nous	plac**erons**
vous	plac**erez**
ils/elles	plac**eront**

Imparfait

je	pla**çais**
tu	pla**çais**
il/elle	pla**çait**
nous	plac**ions**
vous	plac**iez**
ils/elles	pla**çaient**

Conditionnel présent

je	plac**erais**
tu	plac**erais**
il/elle	plac**erait**
nous	plac**erions**
vous	plac**eriez**
ils/elles	plac**eraient**

Passé composé

j'	ai	placé
tu	as	placé
il/elle	a	placé
nous	avons	placé
vous	avez	placé
ils/elles	ont	placé

Passé simple

il/elle	pla**ça**
ils/elles	plac**èrent**

Impératif

Présent

plac**e**
pla**çons**
plac**ez**

Subjonctif

Présent

que je	plac**e**
que tu	plac**es**
qu' il/elle	plac**e**
que nous	plac**ions**
que vous	plac**iez**
qu' ils/elles	plac**ent**

Infinitif

Présent

plac**er**

Participe

Présent

pla**çant**

Passé

plac**é**
plac**és**
plac**ée**
plac**ées**

41 • PLAIRE

Indicatif

Présent

je	plais
tu	plais
il/elle	plaît
nous	plaisons
vous	plaisez
ils/elles	plaisent

Futur simple

je	plairai
tu	plairas
il/elle	plaira
nous	plairons
vous	plairez
ils/elles	plairont

Imparfait

je	plaisais
tu	plaisais
il/elle	plaisait
nous	plaisions
vous	plaisiez
ils/elles	plaisaient

Conditionnel présent

je	plairais
tu	plairais
il/elle	plairait
nous	plairions
vous	plairiez
ils/elles	plairaient

Passé composé

j'	ai	plu
tu	as	plu
il/elle	a	plu
nous	avons	plu
vous	avez	plu
ils/elles	ont	plu

Passé simple

il/elle	plut
ils/elles	plurent

Impératif

Présent

plais
plaisons
plaisez

Subjonctif

Présent

que je	plaise
que tu	plaises
qu' il/elle	plaise
que nous	plaisions
que vous	plaisiez
qu' ils/elles	plaisent

Infinitif

Présent

plaire

Participe

Présent

plaisant

Passé

plu

ATTENTION!

Le participe passé du verbe *plaire* est invariable.

42 • PLEUVOIR

Indicatif

Présent

il pleu**t**

Futur simple

il pleuv**ra**

Impératif

Présent

aucun

Imparfait

il pleuv**ait**

Conditionnel présent

il pleuv**rait**

Subjonctif

Présent

qu' il pleuv**e**

Passé composé

il a plu

Passé simple

il pl**ut**

Infinitif

Présent

pleuv**oir**

Participe

Présent	Passé
pleuv**ant**	pl**u**

ATTENTION !

Le verbe *pleuvoir* se conjugue seulement à la troisième personne du singulier.

43 • PLIER

Indicatif

Présent

je	pli**e**
tu	pli**es**
il/elle	pli**e**
nous	pli**ons**
vous	pli**ez**
ils/elles	pli**ent**

Futur simple

je	plie**rai**
tu	plie**ras**
il/elle	plie**ra**
nous	plie**rons**
vous	plie**rez**
ils/elles	plie**ront**

Imparfait

je	pli**ais**
tu	pli**ais**
il/elle	pli**ait**
nous	pli**ions**
vous	pli**iez**
ils/elles	pli**aient**

Conditionnel présent

je	plie**rais**
tu	plie**rais**
il/elle	plie**rait**
nous	plie**rions**
vous	plie**riez**
ils/elles	plie**raient**

Passé composé

j'	ai	plié
tu	as	plié
il/elle	a	plié
nous	avons	plié
vous	avez	plié
ils/elles	ont	plié

Passé simple

| il/elle | pli**a** |
| ils/elles | pli**èrent** |

Impératif

Présent

pli**e**
pli**ons**
pli**ez**

Subjonctif

Présent

que je	pli**e**
que tu	pli**es**
qu' il/elle	pli**e**
que nous	pli**ions**
que vous	pli**iez**
qu' ils/elles	pli**ent**

Infinitif

Présent

pli**er**

Participe

Présent

pli**ant**

Passé

plié
pli**és**
pli**ée**
pli**ées**

44 • POUVOIR

Indicatif

Présent

je	peu**x**
tu	peu**x**
il/elle	peu**t**
nous	pouv**ons**
vous	pouv**ez**
ils/elles	peuv**ent**

Futur simple

je	pour**rai**
tu	pour**ras**
il/elle	pour**ra**
nous	pour**rons**
vous	pour**rez**
ils/elles	pour**ront**

Impératif

Présent

| peu**x** |
| pouv**ons** |
| pouv**ez** |

Imparfait

je	pouv**ais**
tu	pouv**ais**
il/elle	pouv**ait**
nous	pouv**ions**
vous	pouv**iez**
ils/elles	pouv**aient**

Conditionnel présent

je	pour**rais**
tu	pour**rais**
il/elle	pour**rait**
nous	pour**rions**
vous	pour**riez**
ils/elles	pour**raient**

Subjonctif

Présent

que	je	puiss**e**
que	tu	puiss**es**
qu'	il/elle	puiss**e**
que	nous	puiss**ions**
que	vous	puiss**iez**
qu'	ils/elles	puiss**ent**

Passé composé

j'	ai	pu
tu	as	pu
il/elle	a	pu
nous	avons	pu
vous	avez	pu
ils/elles	ont	pu

Passé simple

il/elle	p**ut**
ils/elles	p**urent**

Infinitif

Présent

pouv**oir**

Participe

Présent

pouv**ant**

Passé

p**u**

ATTENTION!

Le participe passé du verbe *pouvoir* est invariable.

P

45 • PRENDRE

Indicatif

Présent

je	prend**s**
tu	prend**s**
il/elle	prend
nous	pren**ons**
vous	pren**ez**
ils/elles	pren**n**ent

Futur simple

je	prend**rai**
tu	prend**ras**
il/elle	prend**ra**
nous	prend**rons**
vous	prend**rez**
ils/elles	prend**ront**

Impératif

Présent

prend**s**
pren**ons**
pren**ez**

Imparfait

je	pren**ais**
tu	pren**ais**
il/elle	pren**ait**
nous	pren**ions**
vous	pren**iez**
ils/elles	pren**aient**

Conditionnel présent

je	prend**rais**
tu	prend**rais**
il/elle	prend**rait**
nous	prend**rions**
vous	prend**riez**
ils/elles	prend**raient**

Subjonctif

Présent

que je	pren**n**e
que tu	pren**n**es
qu' il/elle	pren**n**e
que nous	pren**ions**
que vous	pren**iez**
qu' ils/elles	pren**n**ent

Infinitif

Présent

prend**re**

Passé composé

j'	ai	pris
tu	as	pris
il/elle	a	pris
nous	avons	pris
vous	avez	pris
ils/elles	ont	pris

Passé simple

il/elle	pri**t**
ils/elles	pri**rent**

Participe

Présent

pren**ant**

Passé

pris
pris
pri**se**
pri**ses**

46 • PROTÉGER

Indicatif

Présent

je	protège
tu	protèges
il/elle	protège
nous	protégeons
vous	protégez
ils/elles	protègent

Futur simple

je	protégerai
tu	protégeras
il/elle	protégera
nous	protégerons
vous	protégerez
ils/elles	protégeront

Impératif

Présent

protège
protégeons
protégez

Imparfait

je	protégeais
tu	protégeais
il/elle	protégeait
nous	protégions
vous	protégiez
ils/elles	protégeaient

Conditionnel présent

je	protégerais
tu	protégerais
il/elle	protégerait
nous	protégerions
vous	protégeriez
ils/elles	protégeraient

Subjonctif

Présent

que	je	protège
que	tu	protèges
qu'	il/elle	protège
que	nous	protégions
que	vous	protégiez
qu'	ils/elles	protègent

Passé composé

j'	ai	protégé
tu	as	protégé
il/elle	a	protégé
nous	avons	protégé
vous	avez	protégé
ils/elles	ont	protégé

Passé simple

il/elle	protégea
ils/elles	protégèrent

Infinitif

Présent

protéger

Participe

Présent

protégeant

Passé

protégé
protégés
protégée
protégées

47 • RECEVOIR

Indicatif

Présent

je	reçois
tu	reçois
il/elle	reçoit
nous	recevons
vous	recevez
ils/elles	reçoivent

Futur simple

je	recevrai
tu	recevras
il/elle	recevra
nous	recevrons
vous	recevrez
ils/elles	recevront

Impératif

Présent

reçois
recevons
recevez

Imparfait

je	recevais
tu	recevais
il/elle	recevait
nous	recevions
vous	receviez
ils/elles	recevaient

Conditionnel présent

je	recevrais
tu	recevrais
il/elle	recevrait
nous	recevrions
vous	recevriez
ils/elles	recevraient

Subjonctif

Présent

que je	reçoive
que tu	reçoives
qu' il/elle	reçoive
que nous	recevions
que vous	receviez
qu' ils/elles	reçoivent

Passé composé

j'	ai	reçu
tu	as	reçu
il/elle	a	reçu
nous	avons	reçu
vous	avez	reçu
ils/elles	ont	reçu

Passé simple

il/elle	reçut
ils/elles	reçurent

Infinitif

Présent

recevoir

Participe

Présent
recevant

Passé
reçu
reçus
reçue
reçues

48 • RENDRE

Indicatif

Présent

je	rends
tu	rends
il/elle	rend
nous	rendons
vous	rendez
ils/elles	rendent

Futur simple

je	rendrai
tu	rendras
il/elle	rendra
nous	rendrons
vous	rendrez
ils/elles	rendront

Impératif

Présent

rends
rendons
rendez

Imparfait

je	rendais
tu	rendais
il/elle	rendait
nous	rendions
vous	rendiez
ils/elles	rendaient

Conditionnel présent

je	rendrais
tu	rendrais
il/elle	rendrait
nous	rendrions
vous	rendriez
ils/elles	rendraient

Subjonctif

Présent

que	je	rende
que	tu	rendes
qu'	il/elle	rende
que	nous	rendions
que	vous	rendiez
qu'	ils/elles	rendent

Infinitif

Présent

rendre

Passé composé

j'	ai	rendu
tu	as	rendu
il/elle	a	rendu
nous	avons	rendu
vous	avez	rendu
ils/elles	ont	rendu

Passé simple

il/elle	rendit
ils/elles	rendirent

Participe

Présent

rendant

Passé

rendu
rendus
rendue
rendues

49 • RÉPÉTER

Indicatif

Présent

je	répèt**e**
tu	répèt**es**
il/elle	répèt**e**
nous	répét**ons**
vous	répét**ez**
ils/elles	répèt**ent**

Futur simple

je	répéte**rai**
tu	répéte**ras**
il/elle	répéte**ra**
nous	répéte**rons**
vous	répéte**rez**
ils/elles	répéte**ront**

Impératif

Présent

répèt**e**
répét**ons**
répét**ez**

Imparfait

je	répét**ais**
tu	répét**ais**
il/elle	répét**ait**
nous	répét**ions**
vous	répét**iez**
ils/elles	répét**aient**

Conditionnel présent

je	répéte**rais**
tu	répéte**rais**
il/elle	répéte**rait**
nous	répéte**rions**
vous	répéte**riez**
ils/elles	répéte**raient**

Subjonctif

Présent

que je	répèt**e**
que tu	répèt**es**
qu' il/elle	répèt**e**
que nous	répét**ions**
que vous	répét**iez**
qu' ils/elles	répèt**ent**

Infinitif

Présent

répét**er**

Passé composé

j'	ai	répété
tu	as	répété
il/elle	a	répété
nous	avons	répété
vous	avez	répété
ils/elles	ont	répété

Passé simple

il/elle	répét**a**
ils/elles	répét**èrent**

Participe

Présent | Passé

Présent	Passé
répét**ant**	répét**é**
	répét**és**
	répét**ée**
	répét**ées**

50 • RÉPONDRE

Indicatif

Présent

je	répond**s**
tu	répond**s**
il/elle	répond
nous	répond**ons**
vous	répond**ez**
ils/elles	répond**ent**

Futur simple

je	répond**rai**
tu	répond**ras**
il/elle	répond**ra**
nous	répond**rons**
vous	répond**rez**
ils/elles	répond**ront**

Impératif

Présent

répond**s**
répond**ons**
répond**ez**

Imparfait

je	répond**ais**
tu	répond**ais**
il/elle	répond**ait**
nous	répond**ions**
vous	répond**iez**
ils/elles	répond**aient**

Conditionnel présent

je	répond**rais**
tu	répond**rais**
il/elle	répond**rait**
nous	répond**rions**
vous	répond**riez**
ils/elles	répond**raient**

Subjonctif

Présent

que je	répond**e**
que tu	répond**es**
qu' il/elle	répond**e**
que nous	répond**ions**
que vous	répond**iez**
qu' ils/elles	répond**ent**

Passé composé

j'	ai	répondu
tu	as	répondu
il/elle	a	répondu
nous	avons	répondu
vous	avez	répondu
ils/elles	ont	répondu

Passé simple

il/elle	répond**it**
ils/elles	répond**irent**

Infinitif

Présent

répond**re**

Participe

Présent

répond**ant**

Passé

répond**u**
répond**us**
répond**ue**
répond**ues**

51 • RIRE

Indicatif

Présent

je	ris
tu	ris
il/elle	rit
nous	rions
vous	riez
ils/elles	rient

Futur simple

je	rirai
tu	riras
il/elle	rira
nous	rirons
vous	rirez
ils/elles	riront

Impératif

Présent

ris
rions
riez

Imparfait

je	riais
tu	riais
il/elle	riait
nous	riions
vous	riiez
ils/elles	riaient

Conditionnel présent

je	rirais
tu	rirais
il/elle	rirait
nous	ririons
vous	ririez
ils/elles	riraient

Subjonctif

Présent

que	je	rie
que	tu	ries
qu'	il/elle	rie
que	nous	riions
que	vous	riiez
qu'	ils/elles	rient

Passé composé

j'	ai	ri
tu	as	ri
il/elle	a	ri
nous	avons	ri
vous	avez	ri
ils/elles	ont	ri

Passé simple

il/elle	rit
ils/elles	rirent

Infinitif

Présent

rire

Participe

Présent

riant

Passé

ri

ATTENTION!

Le participe passé du verbe *rire*
est invariable.

52 • SAVOIR

Indicatif

Présent

je	sais
tu	sais
il/elle	sait
nous	savons
vous	savez
ils/elles	savent

Futur simple

je	saurai
tu	sauras
il/elle	saura
nous	saurons
vous	saurez
ils/elles	sauront

Impératif

Présent

sache
sachons
sachez

Imparfait

je	savais
tu	savais
il/elle	savait
nous	savions
vous	saviez
ils/elles	savaient

Conditionnel présent

je	saurais
tu	saurais
il/elle	saurait
nous	saurions
vous	sauriez
ils/elles	sauraient

Subjonctif

Présent

que je	sache
que tu	saches
qu' il/elle	sache
que nous	sachions
que vous	sachiez
qu' ils/elles	sachent

Passé composé

j'	ai	su
tu	as	su
il/elle	a	su
nous	avons	su
vous	avez	su
ils/elles	ont	su

Passé simple

il/elle	sut
ils/elles	surent

Infinitif

Présent

savoir

Participe

Présent

sachant

Passé

su
sus
sue
sues

53 • SERVIR

Indicatif

Présent

je	sers
tu	sers
il/elle	sert
nous	servons
vous	servez
ils/elles	servent

Futur simple

je	servirai
tu	serviras
il/elle	servira
nous	servirons
vous	servirez
ils/elles	serviront

Imparfait

je	servais
tu	servais
il/elle	servait
nous	servions
vous	serviez
ils/elles	servaient

Conditionnel présent

je	servirais
tu	servirais
il/elle	servirait
nous	servirions
vous	serviriez
ils/elles	serviraient

Passé composé

j'	ai	servi
tu	as	servi
il/elle	a	servi
nous	avons	servi
vous	avez	servi
ils/elles	ont	servi

Passé simple

il/elle	servit
ils/elles	servirent

Impératif

Présent

sers
servons
servez

Subjonctif

Présent

que je	serve
que tu	serves
qu' il/elle	serve
que nous	servions
que vous	serviez
qu' ils/elles	servent

Infinitif

Présent

servir

Participe

Présent

servant

Passé

servi
servis
servie
servies

54 • SUIVRE

Indicatif

Présent

je	sui**s**
tu	sui**s**
il/elle	sui**t**
nous	suiv**ons**
vous	suiv**ez**
ils/elles	suiv**ent**

Futur simple

je	suiv**rai**
tu	suiv**ras**
il/elle	suiv**ra**
nous	suiv**rons**
vous	suiv**rez**
ils/elles	suiv**ront**

Impératif

Présent

sui**s**
suiv**ons**
suiv**ez**

Imparfait

je	suiv**ais**
tu	suiv**ais**
il/elle	suiv**ait**
nous	suiv**ions**
vous	suiv**iez**
ils/elles	suiv**aient**

Conditionnel présent

je	suiv**rais**
tu	suiv**rais**
il/elle	suiv**rait**
nous	suiv**rions**
vous	suiv**riez**
ils/elles	suiv**raient**

Subjonctif

Présent

que	je	suiv**e**
que	tu	suiv**es**
qu'	il/elle	suiv**e**
que	nous	suiv**ions**
que	vous	suiv**iez**
qu'	ils/elles	suiv**ent**

Passé composé

j'	ai	suivi
tu	as	suivi
il/elle	a	suivi
nous	avons	suivi
vous	avez	suivi
ils/elles	ont	suivi

Passé simple

il/elle	suiv**it**
ils/elles	suiv**irent**

Infinitif

Présent

suiv**re**

Participe

Présent

suiv**ant**

Passé

suiv**i**
suiv**is**
suiv**ie**
suiv**ies**

55 • TENIR

Indicatif

Présent

je	tien**s**
tu	tien**s**
il/elle	tien**t**
nous	ten**ons**
vous	ten**ez**
ils/elles	tien**nent**

Futur simple

je	tiend**rai**
tu	tiend**ras**
il/elle	tiend**ra**
nous	tiend**rons**
vous	tiend**rez**
ils/elles	tiend**ront**

Impératif

Présent

tien**s**
ten**ons**
ten**ez**

Imparfait

je	ten**ais**
tu	ten**ais**
il/elle	ten**ait**
nous	ten**ions**
vous	ten**iez**
ils/elles	ten**aient**

Conditionnel présent

je	tiend**rais**
tu	tiend**rais**
il/elle	tiend**rait**
nous	tiend**rions**
vous	tiend**riez**
ils/elles	tiend**raient**

Subjonctif

Présent

que je	tien**ne**
que tu	tien**nes**
qu' il/elle	tien**ne**
que nous	ten**ions**
que vous	ten**iez**
qu' ils/elles	tien**nent**

Passé composé

j'	ai	tenu
tu	as	tenu
il/elle	a	tenu
nous	avons	tenu
vous	avez	tenu
ils/elles	ont	tenu

Passé simple

il/elle	t**int**
ils/elles	t**inrent**

Infinitif

Présent

ten**ir**

Participe

Présent

ten**ant**

Passé

ten**u**
ten**us**
ten**ue**
ten**ues**

56 • VALOIR

Indicatif

Présent

Je	vaux
tu	vaux
il/elle	vaut
nous	valons
vous	valez
ils/elles	valent

Futur simple

je	vaudrai
tu	vaudras
il/elle	vaudra
nous	vaudrons
vous	vaudrez
ils/elles	vaudront

Impératif

Présent

vaux
valons
valez

Imparfait

je	valais
tu	valais
il/elle	valait
nous	valions
vous	valiez
ils/elles	valaient

Conditionnel présent

je	vaudrais
tu	vaudrais
il/elle	vaudrait
nous	vaudrions
vous	vaudriez
ils/elles	vaudraient

Subjonctif

Présent

que	je	vaille
que	tu	vailles
qu'	il/elle	vaille
que	nous	valions
que	vous	valiez
qu'	ils/elles	vaillent

Infinitif

Présent

valoir

Passé composé

j'	ai	valu
tu	as	valu
il/elle	a	valu
nous	avons	valu
vous	avez	valu
ils/elles	ont	valu

Passé simple

il/elle	valut
ils/elles	valurent

Participe

Présent

valant

Passé

valu
valus
value
values

57 • VENIR

Indicatif

Présent

je	viens
tu	viens
il/elle	vient
nous	venons
vous	venez
ils/elles	viennent

Futur simple

je	viendrai
tu	viendras
il/elle	viendra
nous	viendrons
vous	viendrez
ils/elles	viendront

Impératif

Présent

viens
venons
venez

Imparfait

je	venais
tu	venais
il/elle	venait
nous	venions
vous	veniez
ils/elles	venaient

Conditionnel présent

je	viendrais
tu	viendrais
il/elle	viendrait
nous	viendrions
vous	viendriez
ils/elles	viendraient

Subjonctif

Présent

que	je	vienne
que	tu	viennes
qu'	il/elle	vienne
que	nous	venions
que	vous	veniez
qu'	ils/elles	viennent

Infinitif

Présent

venir

Passé composé

je	suis	venu/venue
tu	es	venu/venue
il/elle	est	venu/venue
nous	sommes	venus/venues
vous	êtes	venus/venues
ils/elles	sont	venus/venues

Passé simple

il/elle	vint
ils/elles	vinrent

Participe

Présent

venant

Passé

venu
venus
venue
venues

58 • VIVRE

Indicatif

Présent

je	vis
tu	vis
il/elle	vit
nous	vivons
vous	vivez
ils/elles	vivent

Futur simple

je	vivrai
tu	vivras
il/elle	vivra
nous	vivrons
vous	vivrez
ils/elles	vivront

Imparfait

je	vivais
tu	vivais
il/elle	vivait
nous	vivions
vous	viviez
ils/elles	vivaient

Conditionnel présent

je	vivrais
tu	vivrais
il/elle	vivrait
nous	vivrions
vous	vivriez
ils/elles	vivraient

Passé composé

j'	ai	vécu
tu	as	vécu
il/elle	a	vécu
nous	avons	vécu
vous	avez	vécu
ils/elles	ont	vécu

Passé simple

il/elle	vécut
ils/elles	vécurent

Impératif

Présent

vis
vivons
vivez

Subjonctif

Présent

que je	vive
que tu	vives
qu' il/elle	vive
que nous	vivions
que vous	viviez
qu' ils/elles	vivent

Infinitif

Présent

vivre

Participe

Présent

vivant

Passé

vécu
vécus
vécue
vécues

59 • VOIR

Indicatif

Présent

je	vois
tu	vois
il/elle	voit
nous	voyons
vous	voyez
ils/elles	voient

Futur simple

je	verrai
tu	verras
il/elle	verra
nous	verrons
vous	verrez
ils/elles	verront

Imparfait

je	voyais
tu	voyais
il/elle	voyait
nous	voyions
vous	voyiez
ils/elles	voyaient

Conditionnel présent

je	verrais
tu	verrais
il/elle	verrait
nous	verrions
vous	verriez
ils/elles	verraient

Passé composé

j'	ai	vu
tu	as	vu
il/elle	a	vu
nous	avons	vu
vous	avez	vu
ils/elles	ont	vu

Passé simple

| il/elle | vit |
| ils/elles | virent |

Impératif

Présent

vois
voyons
voyez

Subjonctif

Présent

que je	voie
que tu	voies
qu' il/elle	voie
que nous	voyions
que vous	voyiez
qu' ils/elles	voient

Infinitif

Présent

voir

Participe

Présent

voyant

Passé

vu
vus
vue
vues

60 • VOULOIR

Indicatif

Présent

je	veu**x**
tu	veu**x**
il/elle	veu**t**
nous	voul**ons**
vous	voul**ez**
ils/elles	veul**ent**

Futur simple

je	voud**rai**
tu	voud**ras**
il/elle	voud**ra**
nous	voud**rons**
vous	voud**rez**
ils/elles	voud**ront**

Impératif

Présent

veu**x**/veuill**e**
voul**ons**
voul**ez**/veuill**ez**

Imparfait

je	voul**ais**
tu	voul**ais**
il/elle	voul**ait**
nous	voul**ions**
vous	voul**iez**
ils/elles	voul**aient**

Conditionnel présent

je	voud**rais**
tu	voud**rais**
il/elle	voud**rait**
nous	voud**rions**
vous	voud**riez**
ils/elles	voud**raient**

Subjonctif

Présent

que je	veuill**e**
que tu	veuill**es**
qu' il/elle	veuill**e**
que nous	voul**ions**
que vous	voul**iez**
qu' ils/elles	veuill**ent**

Infinitif

Présent

voul**oir**

Passé composé

j'	ai	voulu
tu	as	voulu
il/elle	a	voulu
nous	avons	voulu
vous	avez	voulu
ils/elles	ont	voulu

Passé simple

il/elle	voul**ut**
ils/elles	voul**urent**

Participe

Présent

voul**ant**

Passé

voul**u**
voul**us**
voul**ue**
voul**ues**

INDEX